わたしの風景論

地域理解×マネジメント×絆

中瀬 勲

地域全体が「もり」であるという丹波の森構想のもと、地域の文化、環境、生活創造に関して議論・実践してきました。丹波の森公苑の周囲の山では、計画的な林相転換で、春にはコバノミツバツツジが咲きほこります。

丹波の森大学専科生たちが調査・研究し再現した灰屋の前で、大学生に説明する代表の上田三平さん。

山、集落、棚田が広がる岩座神(多可町)の田園風景です。

但馬で、記念すべきコウノトリの放鳥の場に立ち会うことができました。

阪神・淡路大震災から1年後に立ち上がった市民主体の阪神グリーンネット（ランドスケープ復興支援会議）。区画整理の予定地で、住民の皆さんと開催した公園づくりワークショップの風景です。

有馬富士を背景にして、二次林、棚田、古民家、ため池、人工構造物のある兵庫県立有馬富士公園の田園景観です。

公園の2期としてあそびの王国がオープン。巨大遊具、音のする遊具…があります。

兵庫県立人と自然の博物館（ひとはく）。出前するなど、多彩なセミナーやフィールドワークがあります。環境学習・まちづくりを支援する、大学と一体となってシンクタンク活動をするなど、博物館の多彩な顔が見えてきました。

小・中学生、高校生、大学生などの若者を中心に、数百人が参加する兵庫県環境担い手サミット。年末の恒例行事になりつつあります。

子どもの環境学習の一環として開催されたジャングル体験スクール(ボルネオ島)。ひとはくとマレーシア大学の交流がベースになり実現しました。

突然、野生のオランウータンと遭遇しました。

兵庫県立淡路景観園芸学校とは、構想計画の段階から学校の開設、専門職大学院の設置・運営で関わり、今も新展開推進のために関係しています。写真は早春のキャンパスの風景です。

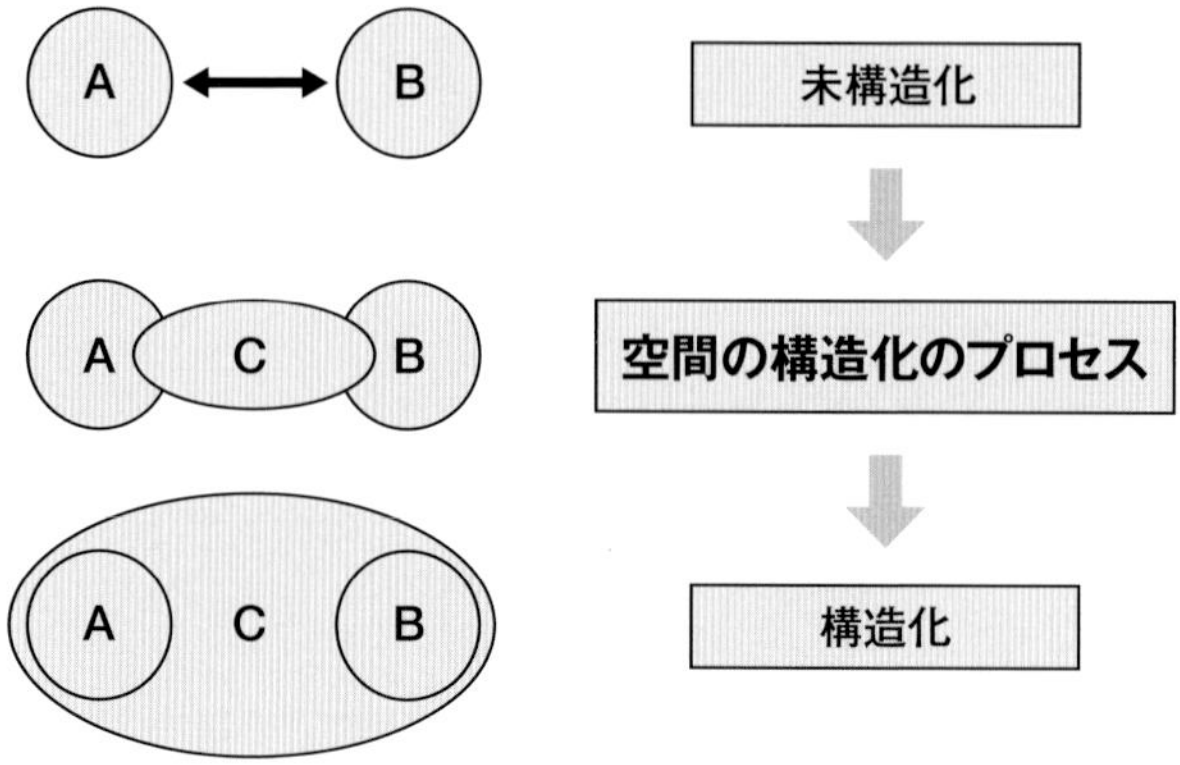

場の理論、by K. レヴィン

クルト・レヴィン著の『社会科学における場の理論』（誠信書房）は、学生時代からの大切な参考図書でした。B=f（P、E）、人間の心的・物的反応行動（B）は、人間の価値、態度、姿勢（P）と環境（E）との相互依存関係にあります。このことをランドスケープ研究・計画に適用していました。博物館準備室時代、当時の室長、伊谷純一郎先生から、霊長類研究と場の理論の話を聞いて大いに感動した記憶があります。A、B、C は各の空間を示します。

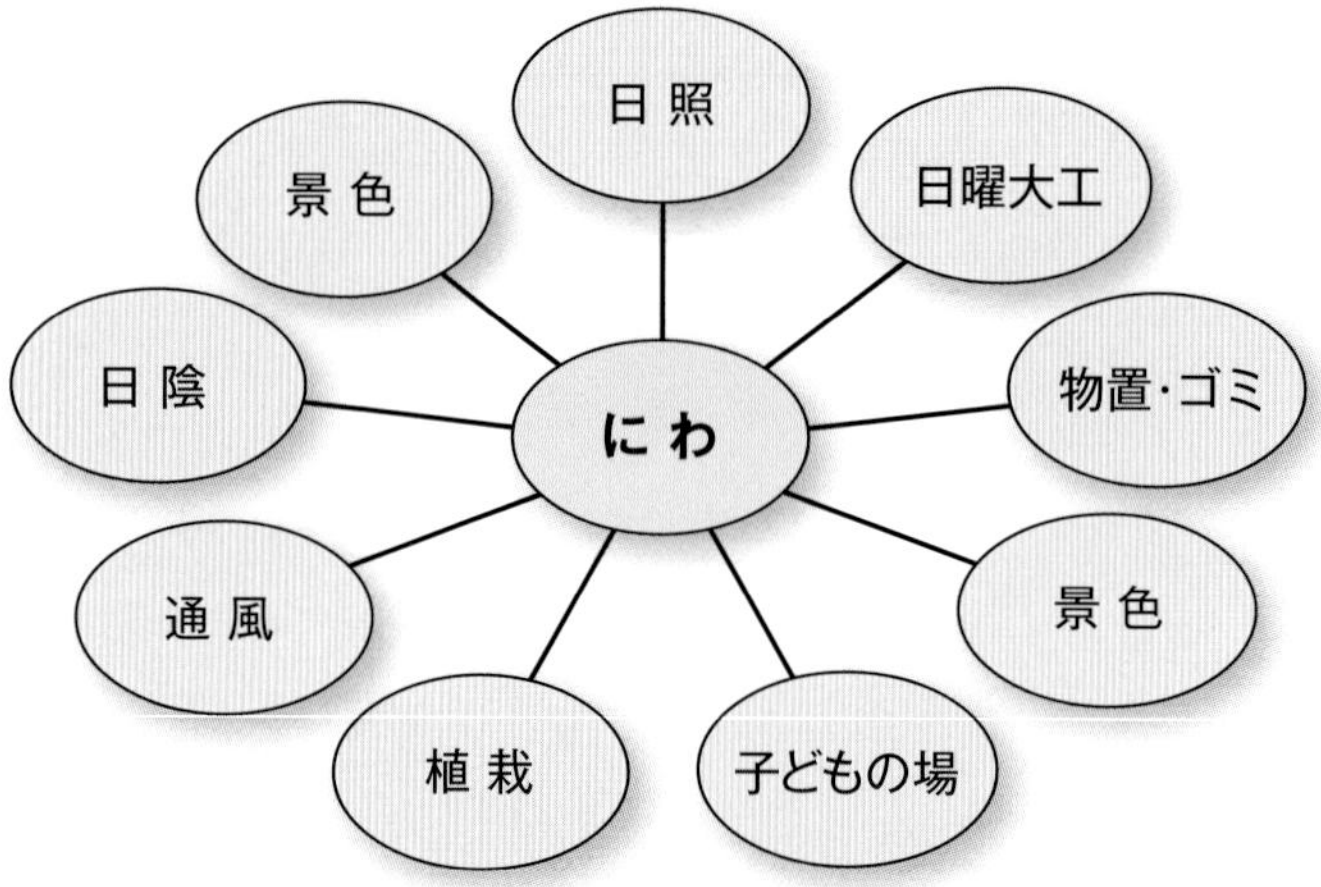

にわの諸要素

ガレット・エクボ先生の名著、『The Art of Home Landscaping』（住宅の造園技術、鹿島出版会）の中に掲載されている図を参考に作成しました。学生の頃、「にわ」には、こんなに多様な機能があるのだと大いに感動しました。いえとにわ、街と緑、都市と公園･緑地、都市地域と自然公園…、いつの間にか、「にわ」から「広域緑地」まで、各種スケールの緑を考える際、私の発想の原点になっていました。

はじめに

兵庫県立人と自然の博物館（略して ひとはく）を中心にして、常勤・非常勤での勤務を30年余にわたり経験してきました。地域づくりや生活文化創造の拠点として整備された兵庫県立丹波の森公苑が丹波市柏原町にあります。ひとはくとの兼務で、20年余（私的には30年余）に及んだ森公苑での活動は、多自然居住地域という新たな領域での、まちづくり・地域づくりへの最先端での挑戦でした。地域の方々と継続的に関係を維持しながら、まちづくり・地域づくり活動を実践できた、かけがいのない時間であり、経験でもありました。これに加えて、兵庫県立淡路景観園芸学校の構想、開校、運営、その後の専門職大学院（緑環境景観マネジメント研究科）の設置と運営、兵庫県立有馬富士公園や（社）日本造園学会などの運営（マネジメント）に参加する機会を頂きました。阪神・淡路大震災後から、参画と協働を基礎にした住民参画型の花・緑・まちづくり活動を通じて、被災地の復旧・復興に、仲間と共に積極的に取り組んできました。

これらの機会に書き留めてきた多種多様な原稿類を取捨選択して、本書『わたしの風景論』をまとめることができました。この作業の過程で、かつて、鳴海邦碩先生（大阪大学名誉教授）たちと、丹波や但馬などの多自然居住地域でのまちづくりの現場、その後の懇親の場で議論した「地域理解」がキーワードとして浮上していました。

本書は、地域理解、マネジメント、そして絆に関わる原稿類で構成しています。依頼された原稿、自主的に書き綴った原稿など、記述した際の動機は様々です。これらの原稿の一本一本を書きあげるのに、どれだけの時間を要したのだろうか？　どれだけの地域を見てまわったのだろうか？　どれだけの文献を調べたのだろうか？　どれだけの人々の影響をうけたのだろうか？　…と振り返りますと、本書は、私の人生経験、そのワクワク感が凝集されたものと自負しています。

本書の刊行準備中に、２０２０年度「みどりの学術賞」を授与して頂けるとの、身に余る光栄なニュースが内閣府の担当者から届きました。その理由は、丹波地域を舞台にした多自然居住地域での社会や地域づくり活動、兵庫県立有馬富士公園や阪神・淡路大震災後でのマネジメント活動などの評価とのことでした。偶然なのでしょうか、必然なのでしょうか、受賞理由は、本書で紹介している内容と相当に重なっていました。

また、２０２０年、新型コロナ感染症の世界的な大流行、パンデミックを、私たちは現実の問題として経験しています。わが国でも、学校の休校、商業・娯楽・運動関連施設の休業、在宅勤務、ステイホーム、観光地・公園の閉鎖…コロナ感染症の蔓延防止のために、私たちの行動の大幅な制限、自粛生活が求められました。加えて、今後はコロナと共生する新しい日常（ニューノーマル）の開拓と展開が求められています。

アフター・コロナ社会で、多自然居住地域では、ＩＣＴを活用したリモートオフィスや中・長期滞在型まちづくりなどが課題になるでしょう。これに関して、本書で提案している地域理解の概念が貢献できるのではないでしょうか。また、公園・緑が保有している都市や人間のための健康及び安全機能の再確認、それらを発揮する新たなマネジメント手法が展開されるきっかけになることを期待します。

わたしの風景論　目次

はじめに　1

I　地域理解の風景

地域理解の風景、その原点―市民と共に歩んだ30年余、兵庫県丹波地域での実践―　10

地域理解の経緯　14

地域づくりの実践 in 丹波　15

地域づくりの更なる展開　34

20年目の新たな出発　37

地域活動　39

丹波から新たなライフスタイル提案を　40

人口減少時代の新しい地域づくりを丹波から　42

21世紀社会への挑戦　44

クリエイティブ・クラスとしてご活躍ください　46

新たなる出発　48

地域環境 *50*

「生活知」と「専門知」の統合 ―環境問題への挑戦― *51*

子どもの社会性を育もう〈エコキッズクラブの皆さんへ〉 *53*

生態系サービス *55*

倫理的(エシカル)消費の復権 *57*

地域文化 *59*

丹波学ことはじめ *60*

農業遺産、灰屋の再現 *63*

地域文化を生かしたまちづくり *65*

丹波の知恵を21世紀の地域づくりへ *67*

生態系サービスと地域文化 *69*

丹波流生活の知恵 ―その継承を子どもたちに！― *71*

丹波のにわ *73*

文化(Culture)の語源 *75*

地域文化とわび・さび！ *77*

地域理解 *79*

農の地域文化 *80*

地域理解 *82*

地域創生を考える *84*

地域創生の担い手　86
学生力で地域が変わる　88

Ⅱ　マネジメントの風景

マネジメントの風景―考え、実践するきっかけになった3つの出来事―　92

震災から学ぶ　99
緑は震災に強かった―非常時の緑―　100
阪神・淡路大震災に際しての環境計画研究部の活動　103
阪神・淡路大震災後の市民参加の展開　105
身近なみどりの防災効果　111

公園から学ぶ　114
パークマネジメントの展開と公園の新しい価値　115
公園・環境のマネジメント　126
パークマネジメントと指定管理者制度　130
有馬富士公園のめざすべき方向　132
ハイハイ歩き用の芝広場、県立甲山森林公園リニューアルオープン　135
庭の楽しみ　138
公園文化　140

博物館、景観園芸学校などから学ぶ 142
副館長がみた「ひとはく20年の歩み」 143
ひとはくの試み 148
NPO法人 人と自然の会 20年の活躍 150
いよいよひとはく25年 152
篠山市立太古の生きもの館 153
ヒアリ・マダニ・ヤマカガシ… さすが! ひとはく研究員 154
「ひょうご五国の宝箱」をめざして 157
全国初の農学・環境系専門職大学院から発信するハイブリッドな教育の展開 159
淡路景観園芸学校開設20周年、緑環境景観マネジメント研究科開設10周年 163
景観園芸学校の新展開 167
淡路島 景観づくりの取り組み 169
わが都市(まち)の博物館 175
第8回小さいとこサミット —弥生博物館にて— 177
ひょうご環境担い手サミット 179
学会から学ぶ 182
学会長所信 184
都市公園法60周年に思う —造園学の歩みと展望— 187
異分野・異業種交流の促進を! 189

美しい風景づくり　192
成熟社会の造園論　195
上原敬二賞　198

III　絆の風景

連鎖する恩師、仲間、若者との絆　202
恩師からのバトン　―ランドスケープデザインの開拓、実践、そして社会化―　208
若者との絆　218
若者を育んだアメリカン・ランドスケープの思想　220
ボルネオジャングル体験スクール生との再開　224
人と自然の博物館環境ゼミから巣立った若者　228
魚津三太郎塾、産学官金連携のモデル　231
仲間との絆　233
カナダ・エドモントンとの思いがけない出会い　― the world is small ―　234
私の出会った女性造園家　236
まなびやの思い出、２題　241
橋本潤一さんへのバイオダイバーシティ・ミュージアムの紹介　244
多様な専門家との協働によるパークマネジメント導入のきっかけ、兵庫三田宣言　247

人生100年、更なる出会いを求めて　250
地域コミュニティは健在　252
上甫木先生ごくろうさまでした　255
先輩との絆　258
人と人とを繋げた上杉武夫先生　259
加藤幹太先生の思い出　263
貝原俊民前知事の思い出、世界に冠たる博物館　268
緑環境景観マネジメント研究科の恩人、熊谷信昭先生　271
博物館の育ての親、那須先生　273
生物多様性を支える人たち　277
岩槻先生　コスモス国際賞　おめでとうございます！　280
社会・学会での真の恩師、鳴海先生　282
人と自然の博物館の恩人、勝野先生　286
アメリカン・ランドスケープの先輩、都田　徹さん　289
おわりに　292

本文中に登場する市町名や人物の所属・肩書き等は、概ね執筆当時のままです。

I

地域理解の風景

地域理解の風景、その原点

―市民と共に歩んだ30年余、兵庫県丹波地域での実践―

昭和の末頃、「丹波の森づくり大学」（現在の丹波の森大学）を始めるので、その準備委員になってほしい！」と、兵庫県企画部丹波担当参事（当時）の辻井博さんから声をかけて頂いたことが、2017年（平成29年）3月まで、公私にわたって続いてきた兵庫県丹波地域との、30余年にわたる長い長いお付き合いのきっかけであり、始まりでもありました。辻井さんとは、関西国際空港の埋め立て用の土砂を採取した跡地の一つ、今の淡路夢舞台の整備計画が議論されていた頃からのお付き合いでした。加えて、1990年（平成2年）当時、わが国では、はじめてのランドスケーププラン・地図を、私たちの調査研究グループが、兵庫県全域で策定した際の県側の担当者でした。これ以降、北摂、丹波、但馬、播磨、淡路などで、各地域の住民の方々と密着した調査、研究、実践活動が始まりました。Ⅰ章では、主に丹波地域に的を絞って関係する原稿類を編集しました。

当時、丹波地域には10の町（現在は、丹波篠山市と丹波市に広域合併）があり、各町が切磋琢磨しながら、地域づくりに励んでおられました。折しも、竹下内閣のふるさと創生一億円の時代でした。その資金を有効活用して、地域で活躍する人材育成が、当時から既に始まっていたのです。これらの成果が、任意団体丹波の森協会の設立に繋がり、（財）丹波の森協会の設立になりました。その後、平成8年から、この地域密着型の協会が、兵庫県立丹波の森公苑の運営を、兵庫県から受託することになったのです。今の指定管理者制度が始まる随分と前のことでした。当時としては画期的であったこの仕組みを、地元丹波の森協会と兵庫県当局との間に立って、上手くコーディネートされたのが、平岩慎吾（氷上郡青垣町）・新家茂夫（多紀郡篠山町）両町長と、兵庫県ＯＢで丹波の森協会の初代常務理事の村山克巳さんの名トリオでした。最終的には、貝原俊民知事（当時）のご英断があったと聞いています。私は、村山さんの良き相談役？として、県当局との交渉の過程で、大いに活用して頂いていたように記憶しています。

当時「丹波の森構想」なるものが、既に策定され、地域全体に広報・宣言されていました。丹波地域の山、里、集落、まち、田畑、これら全てを森とみなして、自然環境と調和した地域づくりを、住民が主体になって進める旨の内容が地域で共有されていました。この構想の原点は、貝原俊民知事（当時）と半田真理子さん（造園界の大先輩、女性造園家の先駆け）との対談で話題になった「ウィーンの森」がモデルになったといわれています。

丹波の森公苑建物の全景、丹波市

冒頭で紹介しました丹波の森大学の第一回は、丹波の森公苑が未完成でしたので、現在の丹波市柏原町にある「年輪の里」の講義室で開催されました。当時の森公苑長、河合雅雄先生の講義に始まり、東京大学の武内和彦さん、日本大学の勝野武彦さん、山形大学名誉教授の北村昌美先生たち、そうそうたるメンバーに丹波にまで講義に来て頂きました。これらの成果が、『もり　人　まちづくり』（学芸出版社、１９９３年）として発刊されています。今から思いますと、多自然居住地域でのまち・地域づくり関連では、わが国で初期の頃の出版物でした。これに続いて、多様な地域密着型の活動が始まると共に、ウィーンやフォンテーヌブローの森、シュヴァルツヴァルトなどとの、森の国際交流と相互訪問、森の国際会議の開催などへと展開しました。

私は、１９９６年（平成８年）に、丹波の森協会に設置された丹波の森研究所長として21年間、また２００５年（平成17年）に、河合雅雄先生が丹波の森公苑長を退任された後任として12年間、丹波の方々と、かなり密に接しながら、地域づくりや人づくりを応援してきました。丹波での地域づくりは、生活創造、文化創造、森（地域）づくりの三本柱です。このような中で、丹波の森研究所研究員を地域に住みついたレジデント型研究者と位置づけ、「地域理解」をテーマにしながら、地域づくり活動を進めてきました。創作市民オペラ「おさん茂兵衛　丹波歌暦」や音楽祭「シューベルティアーデたんば」などを、自主的に住民主体で展開されてきた浅倉陽子さんたち、灰屋《はんや》などを再現した上田三平さん、岸本喜志子さんをはじめ、多くの丹波在住の方々と、一緒に行動できたことは、大変な幸せであったとしみじみ感じています。

これらと時期を同じくするのですが、兵庫県では夢ビジョン（長期総合計画）を、全県版と各地域版の２本立てで策定している時期でした。当時、兵庫県に

『もり 人 まちづくり』
丹波の森大学の講義録、
学芸出版社

『丹波のむかしばなし』丹波の森協会

は10県民局があったのですが、各県民局で、１００人前後の住民がビジョン委員として参画して、地域版のビジョンを策定していました。丹波地域ビジョンでは、地域住民の、浅倉、婦木、坂東、山名、酒井、並河さんたちに加えて、県民局の藤原（ビジョン担当）さんが大奮闘していました。議論の中から出てきた、丹波地域ビジョンのテーマは「わ（環）」でした。「報告書表紙のデザインから内容まで、全て住民主体で企画、立案、策定、文章化しよう…」と意気込んでいました。これらの区切り区切りの時期に、井戸副知事（当時）さんが井筒部長（当時）さんたちと共に、丹波に来られることがありました。その度に「県側はパワポでフォーマルに発表するので、丹波側は手づくりの紙芝居形式、手書きのポスターでお迎えしようと…」、メンバーの皆さんが、大いに工夫し、楽しみながらプレゼンされていた様子を懐かしく思い出します。住民主体の地域づくりの原点、始まりの場に立ち会っていた、そのような感慨があります。

恐竜化石の発掘現場、丹波市

　この期間中に、多くの原稿を、丹波の森だより、公苑長の独り言、丹波高齢者大学、丹波ＯＢ大学、文化事業など活動報告書、丹波のむかしばなしなどに書いてきました。これらをまとめたのが、このＩ章になります。振り返ってみますと、当時、まだ言葉としては存在しませんでしたが、地方（地域）創生を、丹波の現場で、丹波の方々と進めていたのだとの思いがひたひたと湧き上がってきます。

地域理解の経緯

丹波の森づくり30周年を記念した式典とフォーラムが、２０１８年（平成30年）11月に丹波の森公苑大ホールで、井戸敏三兵庫県知事などの出席を得て盛大に開催されました。これまで丹波に関係してきた経緯から、私も、式典でのフォーラム・メンバーとして参加する機会をいただき、30周年をお祝いするとともに、小学生、中学生、高校生、そして諸団体の方々と丹波の将来について語り合いました。

これまでの丹波の森に関する経緯や現状は、丹波県民局の事務局によって映像にまとめられていますし、当日の議論などは記録誌として編集、発表されています。それらから、最新の丹波の森の状況を見ることができると思います。

ここでは、丹波の森の20周年時点で記述した原稿を中心に構成しています。最初に、やや公式的な20年の歩みです。丹波の森がどのように展開し続けてきたのかを垣間見ていただけるものと期待しています。また、折々での挨拶文や将来展望に関する原稿を収録していますので、その頃の状況をお楽しみいただければと思います。

地域づくりの実践 in 丹波

もとのタイトルは、「丹波の森20年の歩み─行政から住民主体の地域づくりへ─」でしたが、ここでは「地域づくりの実践in 丹波」として紹介します。

筆者が42歳の時、兵庫県立人と自然の博物館の準備室に転職しました。準備室に着任した直後に、本文中で紹介します「丹波の森づくり大学」（今の丹波の森大学）の準備会に参加するように誘っていただいたのが、兵庫県企画部丹波地域担当企画参事（当時）の辻井博さんでした。ユニークな新しい発想で行動される方で、まさに地域づくりを担当するのに最適の方であると思っていました。このことがきっかけになって、丹波の風景、文化、歴史、人柄、そして「丹波は森の国」という心地よい言葉の響きに魅せられて、20年余にわたる丹波との長い付き合いが始まったのです。地域の皆さんとともに歩んだ20年を年表として表1に示してあります。

本文中で「丹波の森」という言葉を頻繁に使いますが、ここで使っている森は、森林だけを意味するのではなくて、里、田畑、河川、鎮守の森、集落、市街地などを含んだ人々が生活する地域全てを意味しています。

昭和 63（1988）年度	北摂・丹波の祭典「ホロンピア'88」の開催 丹波の森宣言（署名 21,616 世帯） 丹波の森協会設立（任意団体）
平成元（1989）年度	丹波の森構想の策定・丹波の森協会シンボルマーク制定 丹波の道の愛称決定～水分れ街道、丹波の森街道、デカンショ街道 第 1 回ウィーンの森親善訪問
平成 2（1990）年度	「丹波の森協会」が財団法人としてスタート 「丹波の森」啓発モニュメントを各町に設置
平成 3（1991）年度	丹波の森づくり大学（現・丹波の森大学）の開設（～現在） 丹波の植生調査を実施 「ふるさと桜づつみ回廊」計画スタート
平成 4（1992）年度	丹波の森写真コンクールの開催（～現在） 丹波の森ガイドブックの発行 丹波の森フェスティバルの開催（～現在）
平成 5（1993）年度	ウィーン市 13 区との友好親善提携の調印 森林文化国際会議を開催し共同宣言を採択 丹波の森大学の講義録『もり　人　まちづくり』を発行
平成 6（1994）年度	丹波サイクリングロード、丹波森の径基本構想の策定 「緑豊かな地域環境の形成に関する条例」制定
平成 7（1995）年度	丹波の森国際音楽祭シューベルティアーデたんば開催（～現在） 『丹波の森の草花』ハンドブックを発行
平成 8（1996）年度	丹波の森公苑開園、丹波の森協会が管理運営を受託 丹波の森基金の設置 丹波の森研究所の開設
平成 9（1997）年度	丹波の森協会が地域づくり優秀団体として国土庁長官賞を受賞 『丹波のむかしばなし』第 1 集を発行
平成 10（1998）年度	ウィーンの森友好親善提携 5 周年記念事業実施
平成 11（1999）年度	篠山市誕生 「丹波の森健康診断」実施 丹波の森夢 21 委員会設置
平成 12（2000）年度	フォンテーヌブローの森（フランス）との友好親善提携
平成 13（2001）年度	映画「森の学校」上映 丹波の夢ビジョン「みんなで丹波の森」策定 丹波の森国際井戸端会議開催
平成 14（2002）年度	ささやまの森公園開園、丹波の森協会が管理運営を受託 丹波地域ビジョン推進プログラム策定 『丹波の森のおはなし』発行
平成 15（2003）年度	オープンガーデンフォーラム開催（庭先から始まる丹波の森づくり） 地域団体活動パワーアップ事業の実施（～現在）
平成 16（2004）年度	全国豆サミット開催 創作市民オペラ「おさん茂兵衛　丹波歌暦」上演 丹波市誕生
平成 17（2005）年度	新鐘ヶ坂トンネル開通 兵庫陶芸美術館開館 丹波路広域ツーリズムフォーラム開催
平成 18（2006）年度	財団法人兵庫丹波の森協会に名称変更 民俗芸能保存・継承事業の実施 たんば田舎暮らしフォーラムの開催
平成 19（2007）年度	丹波の森研究所 篠山分室開設 国蝶「オオムラサキ」の飼育実験に着手 丹波並木道中央公園開園、森林動物研究センター開所
平成 20（2008）年度	丹波の森構想評価・検証委員会を設置し、20 年間の事業評価と検証作業を実施 恐竜、ほ乳類の化石などを活かした地域づくりを推進

表 1　「丹波の森」の 20 年

トピックス1　丹波の森20年の概要

「丹波の森」は、20年目の節目を迎えました。人間でいえば、ようやく成人式を迎えたところです。この間に、文化、芸術、歴史、自然などの多様な分野で、先進的な取組が展開されてきました。丹波の森大学の開設、ウィーン市13区やフォンテーヌブローの森との友好親善提携、丹波のむかしばなしの発行、森林文化国際会議や全国豆サミットの開催、丹波の森国際音楽祭シューベルティアーデたんば開催、創作市民オペラ「おさん茂兵衛丹波歌暦」の上演、丹波の夢ビジョン策定支援…など枚挙に暇がありません。

1996年（平成8年）には、兵庫県立丹波の森公苑の開設に際して、（財）丹波の森協会が管理運営を受託し、地域づくりや地域活性化を支援する地域密着型のシンクタンクとして、丹波の森研究所が設置されています。（中略）

2017年、丹波の森構想の20年の節目に際して、委員会を設置して、多様な統計データを駆使するとともに、関係者のヒヤリングを交えて、精力的に評価・検証をすすめることができました。この成果は、「もりびとになって丹波らしさを楽しもう（丹波の森構想評価・検証報告書）」としてまとめられています。

この作業を通じて感じたことは、①丹波の森構想という共通目標があったこと、②兵庫県立丹波の森公苑という素晴らしい舞台があったこと、③地元丹波の人々が主体となった（公財）兵庫丹波の森協会が運営母体となったことがあげられます。さらに、④丹波の森研究所という地域密着型のシンクタンクを設置したことなど、多くの人々の英知と努力を通じて素晴らしいことが当然のように進められてきたことです。兵庫県のみならず、我が国の地域づくりの模範といっても過言ではないでしょう。

今後、行財政改革がさらに進み、丹波の森公苑でも、予算面、人材面での縮小が予想されますが、これまでの機能を維持するとともに、さらなる展開を期待したいものです。例えば、森研究所の拡大を通じて、これまでの地域づくりやまちづくり活動に加えて、豊かな丹波の自然環境を背景にした「里山の有効活用」「農林業などの複合的地域産業の活性化」「恐竜などの化石を活かした地域づくり」…などが期待されます。このためには、兵庫県、丹波市、篠山市とのさらなる連携に加えて、丹波の人々が研究員として活躍していただけるような仕組みが必要であります。（兵庫丹波の地域情報紙　丹波の森　No.39　２００９年９月）

Ⅰ　兵庫県と丹波

兵庫県には、山陰海岸ジオパーク、上山高原エコミュージアム、コウノトリの郷公園、宍粟森林王国、北播磨田園空間博物館、東播磨ため池ミュージアム、北摂里山ミュージアム、尼崎21世紀の森、あわじ環境未来島、そして丹波の森など、森、里山、里、海、島をテーマにした様々な地域づくりの活動が、住民と行政との協働のもとで展開しています（図１）。

ここで紹介します丹波地域には、丹波篠山市と丹波市があり、人口11・５万人、面積は８７０㎢程度で、地域の75％を山林が占めています。多紀連山と呼ばれる標高５００～９００ｍ程度の低い山々のやわらかな稜線に囲まれた盆地の中に、里山や田畑、河川、鎮守の森、集落、市街地が分布し、落ち着いた風景を醸し出しています。瀬戸内海に注ぐ加古川、武庫川、日本海に注ぐ由良

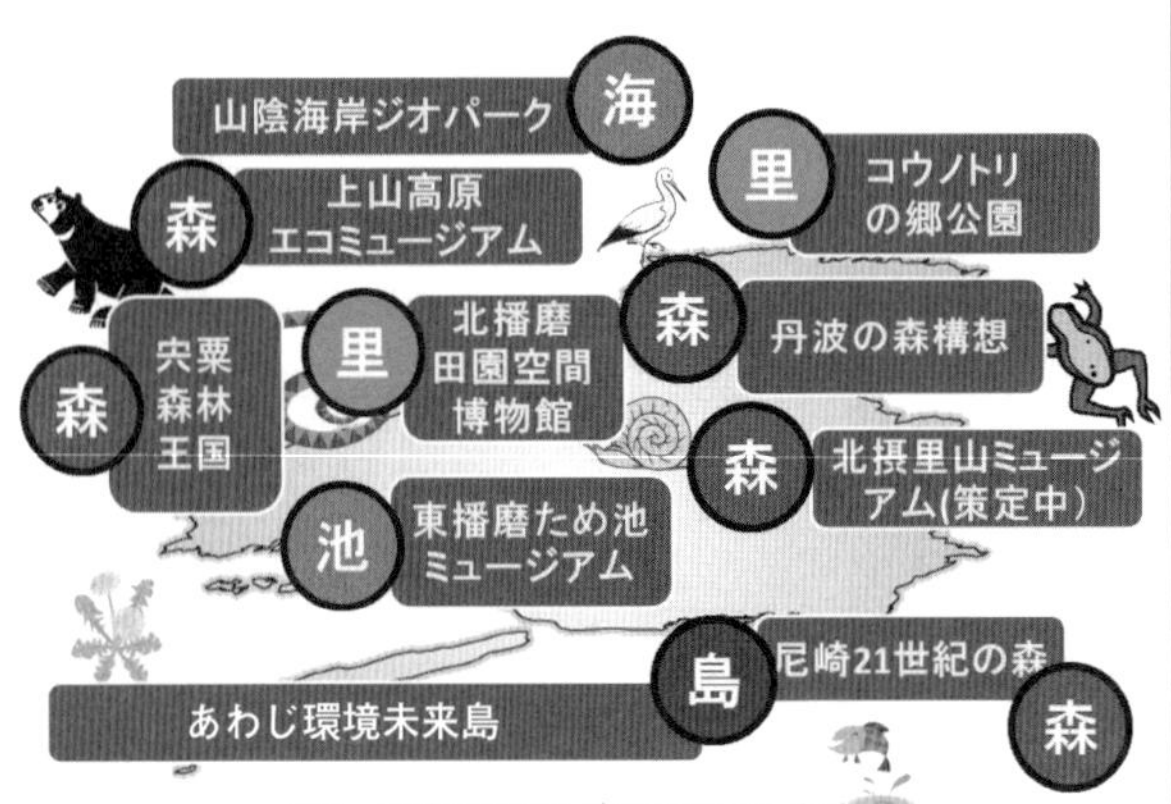

図1　兵庫は地域づくり活動の宝庫！

川源流地域で、黒大豆や大納言豆、山の芋などの特産品をはじめとした農林業が脈々と営まれています。最近のホットな話題としては、丹波の高校生たちが、地域の特産品である山の芋のポット栽培を用いたグリーンカーテンを開発し展開しています。畑の栽培と比較すると、山の芋の生産量が高く、かつCO_2の吸収量が多いとの結果が出されています。

写真１　丹波の集落風景、丹波篠山市

写真２　丹波の田園風景、丹波市

写真３　畦畔木での黒豆干し、丹波篠山市

Ⅱ　ウィーンの森に学ぶ

丹波地域を通るＪＲ福知山線が昭和61年に電化複線化され、昭和62年には高速道路（舞鶴自動車道）が開通して、神戸や大阪等の大都市と1時間程で結ばれるようになりました。その結果、丹波地域は住宅開発やゴルフ場開発などの適地として注目を浴びることになりました。これによって、緑豊かな自然に培われてきた風景、伝統、文化といった丹波の良さが失われていくことが懸念されました。

前の兵庫県知事をされていた貝原俊民さんが、オーストリアのウィーンの森のような「世界に誇れる丹波の森をつくろう」(昭和62年4月)という提案をされたことが、丹波での地域づくりの始まりと言っても過言ではありません。それは、「森の自然の中で人々が憩い、楽しみ、感動するという人間性回復の場として森を活用しよう」「神戸や大阪などの都市圏と自然豊かな丹波地域とが一体となった生活圏として、森と人間が織りなす新しい文化を創造しよう」、つまり「新しい田園文化都市を創ろう」という内容でした。この提案を受けて、住民主体で丹波の森づくりを推進するための組織として、「丹波の森協会」(昭和63年11月)が発足しました。現在では、公益財団法人「兵庫

日　時	場　所	内　容	講　師
7/1（金） 13：30	丹波の森公苑	「森林文化のすすめ —丹波の森構想の発展—」	京都大学名誉教授 丹波の森大学名誉学長 河合　雅雄
7/29（金） 13：30	四季の森生涯学習センター	「丹波で活動する大学生たち」 活動報告	関西大学・関西学院大学・ 神戸大学・兵庫県立大学
7/31（日） 13：30	篠山市民センター	公開講座 「多自然住居の話」	国立台湾大学 博士 シェンリン・チェン
9/20（火） 14：00	篠山市民センター	パネルディスカッション 「丹波を語る」	岡絵理子　関西大学准教授 黒田慶子　神戸大学教授 中瀬　勲　兵庫県立大学教授
10/7（金） 13：30	丹波の森公苑	「野生動物と人とのかかわり」	兵庫県立大学自然・ 環境研究所教授 坂田　宏志
10/21（金）	丹波の森公苑	「丹波の恐竜・哺乳類化石のその後」	兵庫県立大学自然・ 環境研究所准教授 三枝　春生
11/4（金） 13：30	丹波の森公苑	「里山の保全と ナラ枯れ・シカの食害」	兵庫県立大学自然・ 環境研究所教授 服部　保
11/25（金） 13：30	丹波の森公苑	「丹波の20年の歩みとこれから」	兵庫県立大学教授 丹波の森大学学長 中瀬　勲
12/9（金） 13：30	丹波の森公苑	「共生を考える」	東京大学名誉教授 人と自然の博物館長 岩槻　邦男

図2　平成23年度丹波の森大学講座一覧（テーマは丹波をよりよく知ろう）

丹波の森協会」となっています。

この協会は、地域づくりを推進するために、「丹波の森大学」（図2は平成23年度の講座一覧）や「ウィーンの森友好親善交流」などの人材育成事業を進めています。協会内に、森づくりの調査・研究や住民の地域づくり活動のアドバイスやシンクタンク機能を担う「丹波の森研究所」を設置して、様々な住民の皆さんの活動を支援しています。

Ⅲ　丹波の森20年の歩み

丹波の森を基礎にした地域づくりが始まってから20年以上が経過しました。ここでは、地域づくりの様々な試みを通して、住民主体の取り組みに至るまでを、大まかに3時期に分けて、その様子を紹介します。

（1）初動期の取り組み：構想の普及啓発：昭和63年〜平成7年

「丹波を知り、魅力を内外にアピールする活動」として、写真集『丹波の四季』の発刊、「丹波の森文庫」の創設（平成元年）、「森のコンサート」「丹波の森を歩こう」などのイベントが始まりました。次いで、「ホタル飼育観察学校事業」（平成3年）が開催され、『丹波の森ガイドブック』（平成4年）、『丹波に行く本』（平成5年）、『丹波の森の草花』、『ポケット草花図鑑』（平成7年、篠山町村雲地区）などが刊行され、住民とともに丹波地域の魅力発掘の試みが手探り状態で始まりました。

この頃は兵庫県丹波県民局で企画を担当されていた西岡・藤原さんたちの部門が中心的な役割を担っていました。

「森づくりの理念の普及と啓発」として、平成元年に丹波地域の全戸に配布する会報「丹波の森」を創刊すると共に、ウィーンの森親善訪問団（平成23年までで計767人が参加）が始まりました。「丹波の森づくり大学」（現「丹波の森大学」、平成23年までで計1943人が受講）が、平成3年に開校し、同時に「丹波の森づくり論文募集」など、啓発から、人材育成の活動へと広がっています。

ウィーンの森親善訪問団は市民、各種団体、企業、行政などの人々で構成され、ウィーンを中心にヨーロッパの各地を訪問し、まちづくりを学ぼうとするものでした。ウィーンの森では、地元の方々と交流し、地域づくりのみならず、ライフスタイルなどについても語り合ったりしたものです。さらに、夜はホイリゲでワインを飲みながら交換会が開催され皆さんが堪能されていた記憶があります。10日程の行程ですが、丹波を離れて、彼の地から丹波を皆で語る最適の旅であるように思いました。丹波に戻ってから、訪問団のメンバーは、地域づくりのリーダーになることは当然の成り行きでした。今も、当時の仲間の交流は続いていますし、各年の訪問団の仲間も関係を継続していると思います。

平成5年には「ウィーンの森との友好親善提携」が交わされ、「森林文化国際会議」が開催されました。丹波地域で初めて開催された森の国際会議で、フォンテーヌブローの森（フランス）、黒い森（ドイツ）、ウィーンの森（オーストリア）、そして丹波の森の住民代表が専門家とともに大いに語り合いました。使った言語は、英語ではなくて、ドイツ語、フランス語、日本語でした。この年には、丹波の森大学の講義録を編集した『もり　人　まちづくり』（学芸出版社）が刊行されました。

兵庫県民の交流の拠点施設としての「兵庫県立丹波の森公苑」が、平成8年から丹波市柏原町で供用される準備として、平成6年11月には「丹波の森協会発展計画」が策定されました。これまでの取り組みを踏まえたうえで、森協会の更なる機能を充実させるために、①人材養成、②住民活動の育成、③シンクタンク、

④総合調整などに関する機能が提示されました。特に、③のシンクタンク機能の充実として「丹波の森研究所」を設置することが提起されました。

この策定には森協会の常務理事をされていた兵庫県ＯＢの村山克巳さん、青垣町長（当時）の平岩慎吾さん、篠山町長（当時）の新家茂夫さんたちを先頭にした、地域の発展を願う方々の献身的な努力がありました。当時、彼ら3人で丹波地域の人々の意見集約を迅速に進めていたようです。いまでは指定管理者の仕組みは定着していますが、18年も前から、村山さんたちは、県立丹波の森公苑を（財）丹波の森協会が指定管理者のように機能することを想定し実践されていたのです。

トピックス2　森林文化国際会議「丹波の森づくり」具体化に向けた熱い議論

平成5年11月4～5日に篠山市で開催された国際シンポジウムでは「森文化の継承と創造」をテーマに、丹波の森とオーストリア（ウィーンの森）、ドイツ（黒い森）、フランス（フォンテーヌブローの森）と丹波の4地域の森づくり関係者が意見を交換されました。さらに、日本の新進気鋭の学者、実践者が加わり大いに盛り上がりました。

森構想のもと、人と自然と文化の調和した地域づくりが丹波で進む中、森林保護や育成などについて先進国に学び、丹波の森づくりのさらなる具体化に活かそうという目的で開催されたものです。（文献1）

後日談ですが、海外からの参加者から、会議は良かったが、もっと森の中で活動したかったという意見が多く出されました。ある意味で行政が主体になって実施した会議でしたので仕方なかったのですが、これ以降、森関連の会議でも市民主導で屋外での活動を多く導入するようになっています。

「景観的な魅力や美しさの創出」として、「花いっぱい運動」（平成元年）が始まり、「丹波景観１００選」（平成2年）が指定されています。この１００選を盛り込んだ『丹波の森のガイドブック』を行政サイドが主になって作成しています。この時期には、行政サイドから地区単位での花づくりを支援する「花と緑の森づくり事業」が丹波の10地区で取り組まれ、より実践的な施策へと変化していきました。景観づくりの基礎となる学術的な丹波の植生調査を、丹波の森研究所が中心になって平成3年から始めています。続いて、平成4年には、「丹波の森写真コンクール」「花のまちかどコンクール」が始まり、漸く平成5年からの「丹南レンゲ祭り」、平成6年からの「清住コスモス祭り」などの「住民主体」のイベントが台頭してきました。

「森づくりの基盤」として、兵庫県では丹波の森を具現化する計画づくりがスタートしています。美しい風土を形成するため全県で取り組まれていた「広域ランドスケープ計画」が、丹波地域で平成4年に策定されています。平成6年には、淡路地域に続いて丹波地域でも「緑豊かなまちづくり条例」（略称、みどり条例）が策定され、平成8年には、生きもののための土地利用計画ともいえる「ビオトーププラン」も策定されています。この緑条例とは、大まかには、都市計画法でいう都市計画区域以外の地域で、森林・緑地を保全しながら開発を適正に誘導することによって緑豊かな地域環境を形成しようとするものです。

（2）活動期の取り組み：行政主導から住民参画へ：平成8年〜平成13年

「新たな推進体制づくり」では、県民交流施設である兵庫県立丹波の森公苑（平成8年）（写真4）と丹波の森研究所が開設されました。研究所研究員による取り組みも丹波の地域づくりに大いに貢献しています。まさに地域に住まい、地域で活動するレジデント型の研究組織の誕生といえます。活動の成果として、「丹波の全自治会意識調査」（平成9年）、アドバイザーとして地域に出向き住民と一緒にプラン創りや事業を進める「美しい村づくり事業」などがあります。この年には、これまでの丹波の活動が評価され、地域づくりで、丹波の森協会が「国土庁長官賞」を受賞しています。

「専門的な調査の実施」として、全国のまちづくりや都市計画の専門家を集めた「都市計画家キャラバン」が平成8年に実施されました。丹波の森研究所では、平成11年から3年をかけて住民の皆様とともに「丹波の森健康診断」に取り組みました。植生図、地形図などの自然関係のデータ、生きものの分布情報、文化・歴史的施設などをGIS化したデータベース作りも進みました。

「多様な催しや交流の推進」では、平成8年の森公苑開設の前年から丹波の森国際音楽祭「シューベルティアーデたんば」（丹波地域を舞台に年に10回開催）が住民主体でスタートし、平成8年の「人形劇フェスティバル」や「悠々の森音楽祭」と展開しています。平成9年度には、地域の方々が編集委員会を構成して『丹波のむかしばなし』を発刊され、何年もかけて全10巻まで刊行されています。この「むかしばなし」を紙芝居にしたり、読み聞かせの材料にしたりして、子どもたちの学習を支援するグループが誕生し活躍されています。

平成13年には、井戸知事のリーダーシップのもとで、兵庫

写真４　周囲にコバノミツバツツジが咲く丹波の森公苑、丹波市

県下10地域で県民主体の「ビジョンづくり」（総合計画）が進められましたが、丹波地域では、企画、運営のみならず、データ集め、議論のまとめ、文章化、レイアウト、表紙デザインまでを住民が担当するというものでした。これまでの地域づくりの経験や成果が、大いに発揮されているものと思われました。

ここに参加していたメンバーは、後で「NPO法人たんばぐみ」を主宰することになる坂東さん、「シューベルティアーデたんば」や創作市民オペラ「おさん茂兵衛　丹波歌暦」等を企画・実践することになる浅倉さん、「今、農村はおもしろい！」をテーマに丹波の農業を活性化させている婦木農園の婦木さん、日本酒づくりに「市民（女性）参加型」などユニークなアイデアを導入していた山名酒造の山名さんご夫妻、ここでは書ききれませんが他に多くの多士済々の方々でした。そして、とりまとめ役は、音楽イベントなどを登録文化財である酒蔵で繰り広げている鳳鳴酒造の西尾さんでした。これらの方々が、丹波での地域づくり、芸術・文化活動などの中心として活動されていることは言うまでもありません。

トピックス3　シューベルティアーデたんば　丹波の里に響き渡る秋の風物詩

「シューベルティアーデ」とは、作曲家シューベルトが気のおけない友人たちと共に私邸などで開いた、ちいさなコンサートのことです。「シューベルティアーデたんば」はその精神を受け継ぎ、丹波各地域の街角や里山、社寺を舞台に開催される国際音楽祭で、平成7年に初めて開催されました。以後、毎年9月から11月にかけて会場を変えながら実施され、いまでは丹波の秋の風物詩のひとつになっています。（文献1）

（3）定着期の取り組み：住民主体による実践活動：平成14年～

「住民が主体に企画運営し、協働する取り組みへ」では、平成16年度に始まった創作市民オペラ「おさん茂兵衛　丹波歌暦」は大きな話題を集めました。この実行委員会や、丹波ビジョンの策定から誕生した「NPO法人たんばぐみ」、丹波オープンガーデンから誕生した「丹波の森くらぶ」など、継続する住民主体の催し物から着実な住民組織が多く出現しています。このような様々な住民活動の誕生は、丹波の森公苑での伝統的生活施設である炭焼き窯、灰屋の復元（写真５）やオオムラサキの飼育、平成19年に開設した兵庫県立丹波並木道中央公園の住民参加プログラムなどにも波及し、丹波地域での組織化や人的ネットワークの体制整備が重要なポイントとなりつつあります。

写真５　丹波の森大学生（専科生）が復元した灰屋、丹波市（大学院生に講義している代表の上田三平さん）

トピックス４　おさん茂兵衛　丹波ファンを増やすために上演される市民オペラ

「おさん茂兵衛　丹波歌暦」は平成16年より上演された丹波地域発の市民オペラです。近松門左衛門や井原西鶴の作品に登場する「おさん茂兵衛」を題材に、物語にゆかりのある丹波での逸話をモチーフにして、市民が中心になり創作、上演されました。この活動は、平成11～12年度の「丹波夢会議」のメンバーが中心になり「おさん茂兵衛 DE 丹波実行委員会」を発足させ、取り組んでおられます。代表の浅倉さんは「実行委員会の目的は地域づくりで、地域文化を活かしたオペラを通じ丹波の良さを内外に発信し、丹波ファンを増やし、地域づ

―くりに発展させたい」と話されています。（文献1）

「子どもたちを主体とした催しものや取り組みがスタート」では、丹波の森公苑を舞台にして、「子どもミュージカル体験塾」（平成14年）、公苑の森で年間を通じて自然を学習する「縄文の森塾」や「縄文の森キャンプ（平成15年）、「エコキッズクラブ」「丹波子ども塾」（平成18年）などが、住民主体で展開されています。最近では、兵庫県の事業である幼稚園・保育所の環境学習としての「ひょうごっこグリーンガーデン」や小学校3年生対象の環境体験事業である「ひょうごグリーンスクール」などとも連携した事業も進んでいます。

図3　おさん茂兵衛のポスター

「丹波にふさわしい事業展開」として、平成15年にみどり条例が改正され、地域主体の里づくり計画が策定できるようになり、丹波の各地で実践されています。筆者も丹波市国領地区里づくり計画などに参加しました。これに伴い、篠山市日置地区では里づくり計画に基づいた「ひおき軒先ミュージアム」（写真6）が開催され、集落活性化に取り組む丹波初の「集落NPO大名草」や「福田おいやか村」などが結成されています。この動きは、「柏原城下町委員会」の設立（平成18年）、「遠坂資源調査、集落活性化調査」（平成19年）、集落の空家になった家屋群を活用した「丸山の農家民宿」などの地域に密着した調査、計画、実践へと継続しています。

丹波地域では、平成18年から、小学校区での自治振興会やまちづくり協議会などの結成に伴い、参画と協働によるまちづくりがより盛んになり、人口減少が指摘される中で、既存自治組織のスリム化や組織体制の見直しが議論され、自治会や校区でのまちづくりの実践が高まってきました。古市・波賀野の「夢街道の取り組み」、北野新田の「行灯」、福住の「宝物」、黒井の「赤門づくり」、味間新の「風景カルタ」、春日の「里山ウォークディ」、文保寺の「緑化修景」、立杭の「まち歩き」など地域資源を活かしたまちづくりへの関心が高まり、各地で様々な創意と工夫を凝らしたまちづくりが始まっています。

トピックス5　ひおき軒先ミュージアム

《街道を鮮やかによみがえらせよう・軒先こそがわたしたちの「ミュージアム」》

人と人との温かいふれあいを育む舞台でもある「軒先」をテーマに、かつての街道沿いの賑わいをよみがえらそうとする取り組みです。平成17年より「ひおき軒先ミュージアム」と題し、箪笥の中の眠った着物を持ち寄って作られた「手作り着物のれん」や「おうちギャラリー」「生活道具DE花かざり」「道遊び絵巻」など、地域の「軒先」と「街道」を活かしたプログラムとして毎年実施されています。（文献1）

この代表をされているのが地域の神主さん夫妻です。企画、実践し、来られたお客さんたちと地元住民がお互いに楽しむという

写真６　ひおき軒先ミュージアムのパンフレット

——恒例のイベントとなっています。

「丹波地域外からの応援団」を招致する動きとして、兵庫県丹波県民局が主体になった「企業の森」の試みと、大学のスタディオ設置の動きがこの数年でみられます。

企業の森は、少子高齢化する農山村地域の課題を、企業と集落との交流を通じて解決し、地域の活性化を図ろうとするもので、県民局主体で進められ、平成24年現在、6企業が参画しています。県民局の主な支援活動として、①地域と企業・団体とのマッチング、②森づくりに関わる技術支援、③森・里作り活動における活動内容の提案などです。この企画、立案に、筆者も参画したのですが、農林水産部局の行政職員の地域活性化に対する熱い思いが印象的でした。丹波の住民が地域づくりで頑張っているのをみて、行政職員としてできることを考

写真７　ひおき軒先ミュージアムの風景、丹波篠山市

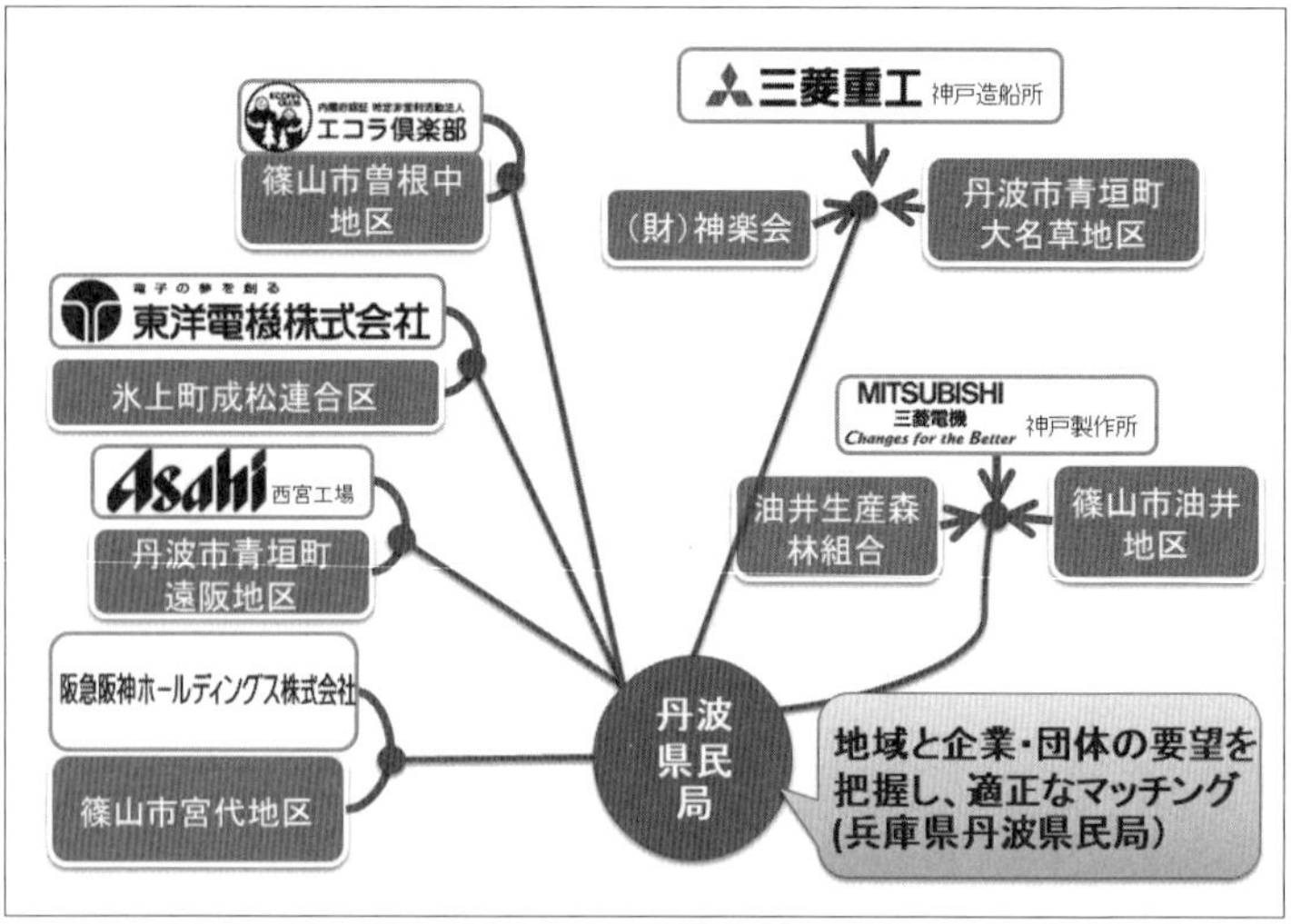

図４　企業の森づくり事業

え実践に移した結果と思っています。

丹波地域には、研究、学習のフィールドとして、平成24年現在で、篠山市に神戸大学、丹波市青垣町に関西大学、柏原町に関西学院大学、山南町に兵庫県立大学がスタディオを設置しています。活動は多様ですが、地域に大学生が入り、調査、研究、実践活動が展開されることによって、地域も元気になっていくさまが垣間見られます。今後ますますの展開が期待されるところです。

Ⅳ　この20年で実現したこと

丹波の森づくりの中で、丹波の地域づくりの基本理念は、①自然とともに生きる地域社会の実現、②潤いと安らぎのある地域社会の実現、③活力ある開かれた地域社会の実現、とされています。

①自然とともに生きる地域社会の実現

「自然環境の保全」「地域づくりの担い手の養成」「伝統と文化の継承」の各事業が進展し、先進的な住民主体型の活動が数々生まれています。例えば、住民参加型調査「丹波の森健康診断」では、住民調査員が丹波地域の各所でヒメボタルの生息地を発見しました。これは小学生や中学生の環境学習に拡大しています。

②潤いと安らぎのある地域社会の実現

美しい里や町並み、山など美しい景観の保全と創造を図るために取り組まれた「まちづくり活動・緑化活動」「歴史的な町並み保全」など、多様な活動の組み合わせで、今も進められています。例えば、平成16年から始まった丹波オープンガーデンでは、平成21年には37の庭が参加し、参加者で「丹波森花くらぶ」が結成されています。地域内のＮＰＯの数は38となっています。

庭々を繋ぐフットパスとしてヒガンバナなどが美しく咲いている田園の畔道を利用したり、丹波地域の自生植物を活用したり、庭の植物から種を採集し苗を育成する等の工夫がされています。ある年にグランプリを獲得した丹波北部にある市島町の女性の庭は、国道に接しているのですが、そこには来客用の駐車場があり、入口に剪定バサミとお盆がおいてあり、必要なだけ草花を摘んで帰れるようにされていました。見るだけではなく、お持ち帰りにまで気配りをされた丹波らしい庭だと感動したことを記憶しています。当然、庭の栽培用土は自家製の素晴らしいものであったことは言うまでもありません。

③活力ある開かれた地域社会の実現

森の文化の交流や、地域特性を活かした地場産業の振興を図るために取り組まれた「丹波ブランド」が創られ普及されています。例えば、篠山市中心市街地商店街の「観光八百屋」の賑わい、柏原の町屋再生など、様々な場所で新たな産業が活性化しています。

恐竜の発見

平成18年8月に丹波市在住の元高校教諭の足立洌さんと友人の村上茂さんが恐竜化石らしきものを発見し、人と自然の博物館に持ち込まれたのが事の発端です。以降、全体骨格発見の期待を抱きながら発掘作業は継続しています。発掘作業の進展とともに、恐竜の多くの部位が発見されるに至っています。また、

発見者の
松原・大江さん
20110715
兵庫県立並木道中央公園
で発見された
ドロマエオサウルス類
化石の記者発表
兵庫県立
人と自然の博物館
写真８　丹波の住民が発見した恐竜化石、ひとはく、三田市

この発掘現場のみならず丹波の他の場所でも恐竜や哺乳類などの貴重な化石が住民によって発見されています（写真8）。現在、恐竜を活かしたまちづくり委員会を構成して、地域住民主体の取り組みが始まりだしたところです。丹波出身の岩槻邦男氏（兵庫県立人と自然の博物館館長、東京大学名誉教授）からは、「まさに、これらの化石は、これまでの丹波の皆さん方の先進的な取り組みへのご褒美」とエールを頂いています。

文献1　丹波の森構想評価・検証委員会（２００９年）、丹波の森構想評価・検証報告書（もりびとになってたんばらしさを楽しもう）、（財）兵庫丹波の森協会。

地域づくりの更なる展開

最初のタイトルは、「さらなる展開に向けて」でした。丹波の森の20年の試みを評価・検証し、更なる展開について述べています（兵庫丹波の地域情報紙　丹波の森　No.38　２００９年３月）。

２００８年（平成20年）度は、丹波の森構想20年を迎え、従来からの活発な事業に加えて、多彩な行動が展開された一年でした。特に、丹波での20年にわたる先進的な実践行動に関して、共生社会部会、まちづくり部会、地域産業部会などを組織して評価・検証を進めています。多自然居住地域をリードする丹波での、地域づくり、まちづくり、芸術・文化活動などの成果を振り返るうえで重要であると思われます。それも、これらのことが、行政主体だけではなく、市民参画のもとで推進されてきたことは意義深いものです。

この評価・検証の過程で、貝原俊民前知事、河合雅雄先生、半田真理子先生、初代常務理事の村山さんをはじめ、多くの関係された方々に、当時の思いをヒヤリングさせていただきました。「丹波の森構想」の始まり、「地域づくり」への期待、先進的な「住民参加」、「丹波の森協会」の誕生……など、改めて、皆様方の丹波への熱い思いを聞かせていただいたところです。貝原前知事が、半田さんの『都市に森をつくる―私の公園学』を高く評価されたこと、丹波の森構想の概念が明快で、今でも先進的なことは多いに評価できることなどをお聞きすることができました。丹波の森構想を提言され、実践に導かれた諸先輩の方々に心から敬意を表するとともに、改めて、多くの方々に支えていただいたことに対して感謝申し上げる次第です。

ヒヤリングを通じて、「ウィーンの森」のように、森、山、川、畑、集落、町、生業、生活、これら地域全体が「丹波の森」であるとの考え方のもと、多彩な試みが展開されてきたことを再確認させていただきました。これが、ウィーンの森、バイエルンの森、フォンテーヌブローの森など、国内外から多くの参加者を迎えた2回にわたる「森の国際会議」の成功、今も継続しているウィーンの森訪問団の派遣、丹波の森大学の開催となっているのです。そして、NPO法人たんばぐみ、創作市民オペラ「おさん茂兵衛 丹波歌暦」、シューベルティアーデたんば……など、多くの地域住民主体の行動と活躍になったのでしょう。まさに、井戸敏三知事を先頭に兵庫県政が推進する住民と行政との「参画と協働」のもとで、地域づくり、まちづくりなどを推進する先進的なモデルであるといえます。まちづくりにおける国土庁長官賞の受賞は、このことを物語っています。

今年度は、丹波の恐竜化石の第三次発掘が進んでいますし、篠山では非常に貴重な哺乳類化石の発見がありました。人と自然の博物館の岩槻館長の言葉をお借りしますと、「まさに、これらの化石は、これまでの丹波の皆さん方の先進的な取り組みへのご褒美」といえるでしょう。

世界的な経済不況の中、兵庫県も、丹波も、この荒波を避けて通ることはできません。これに加えて、少子・高齢化の極端な進行、農林業の衰退、就労の場の減少などの諸問題が、多自然居住地域を直撃しています。地域社会の持続的な経営そのものが課題になりつつあります。このような時期こそ、日本のみならず、東アジアの中山間のモデルとして、これまでの丹波の森づくりで培ってきた経験、蓄積を基礎にして、丹波の地域づくりを再出発させる好機ではないでしょうか。創意工夫を加えて、独自性を出して、地域全体で、住民参加を通じて、伝統、文化を活かして、丹波から行動し、提言し、発信する時期であるといえます。

住民活動支援の場、地域活性化支援の場などとして、多くの皆様方と協働しながら、兵庫県立丹波の森公苑、（財）兵庫丹波の森協会が、更に発展的・先進的に展開することが大切であると思っています。

20年目の新たな出発

丹波の森構想20年を評価・検証し、20年目の新たな出発として、9項目の提案をしました（丹波の森公苑年報2009年9月）。

今年の梅雨明けは、例年より大幅に遅れて、8月までずれこみ、かつて経験したことのないような局地的豪雨が、日本各地で甚大な被害をもたらしました。これらは地球温暖化に伴う異常気象の波が、静かに忍び寄ってきている兆しのように思われてなりません。また、地域では、少子化や人口流出に伴う人口減少の傾向が続いています。

このようなあまり明るくない自然・社会状況の中、丹波の森構想が策定されてから20年の長きにわたる活動や実績に関しての評価・検証が、昨年度、多くの方々の参画と協働を通じてなされました。この作業の中で、丹波の皆様が邁進された地域づくり、人づくり、産業づくりに関する多くの統計データが収集・分析されましたし、関係者へのヒヤリングなどがなされました。これを踏まえて、「丹波の森構想9つの新展開」として提言がなされました。

この中で「もりびとになって、丹波らしさを楽しもう」「丹波の森を『守』って、『盛』んに」のキャッチコピーのもと、「『たんばらしさ』を鍛えるために」以下の9つの新展開の提言が、「20年目の新たな出発」としてなされています。

1　環境をビジネスにつなげる
2　化石を活かしきる
3　地域力を高め、住みやすくする
4　地域の魅力を伝える
5　景色を守る、新たに創る
6　空いている場所を有効に使う
7　「丹波ブランド」をさらに広げる
8　産業連携で、競争力を強化する
9　都会の人と共に活動する

手前味噌になるかもしれませんが、これだけの素晴らしい実績を上げ、それらのデータを駆使して評価・検証した地域は、未だ見たことも聞いたこともありません。まさに、丹波の地力といえるのではないでしょうか。

丹波の森構想「20年目の新たな出発」に際して、「丹波の森公苑」の存在意義を問い直すことも重要であると思います。「造る」から「使う」時代になってきたといわれていますが、森公苑は、丹波の皆様と共に更に「使い」「育てる」方向性が重要ではないでしょうか。皆様の「集いの場」「活動の場」、そして、「発信の拠点」としての森公苑が、より活性化することを通じて、多様な活動が丹波のみならず、兵庫、日本、世界へと広がり、それが丹波地域のさらなる活性化に繋がることを祈念いたします。

兵庫県立丹波の森公苑長として勤務していますと、公苑長の独り言（丹波の森公苑ブログ）、丹波の森公苑広報誌としての季刊丹波の森、丹波の森公苑年報、丹波ＯＢ大学機関紙ぬくもり、丹波文化団体協議会年報、丹波のむかしばなしのはじめに……、多くの原稿を執筆する機会があります。

公苑長時代は、依頼されるがままに、せっせと原稿を仕上げていましたが、そのおかげで、自ずと文章を書く習慣を付けていただけたようです。この頃からでしょうか、何か、印象深いことがあったり、出くわしたりした場合には、短文の原稿を書き残す習性になってきました。このことが、今も継続しています。

このような経緯で、数年前に本書の記述を思い立ったときから、過去の原稿類を丹念に集めました。ここでは、それらの中から、地域づくりや地域活動を進めている、丹波の方々へのエールのような内容の原稿を中心にしてまとめています。

丹波から新たなライフスタイル提案を

兵庫丹波の地域情報紙「丹波の森」に掲載した「新しいライフスタイル」の提案です。少子・高齢社会での新たな発想などを求めています（兵庫丹波の地域情報紙　丹波の森　No.40　２０１０年3月）。

待ち遠しい春がそこまで近づきつつあります。私たちの社会も、少子・高齢、人口減少社会などといわれている中で、新しい地域社会や経済の仕組み、ライフスタイルなどを早急に再構築することが望まれています。「造る」から「使う」時代といわれますが、造ることは、全国一律の方法論で可能であったともいえますが、使うことは異なる場面が想定されます。使う主体は地域の方々ですから、使い方に地域独自の英知を結集し、それらを展開することが望まれます。

かつて、『発想法』というタイトルの新書を愛読したものです。ワークショップなどでよく使われている方法です。その中には、ＢＳ法（Brain Storming の略）とかＫＪ法（Kawakita Jirou 先生の略）といった発想の仕方が解説されていました。印象深く残っていることは、各種情報を整理する際に「情念を重視する」趣旨のことです。新しいことを見いだすためには既成概念に囚われない発想が必要であるということです。リンゴ、スイカ、サッカーボール、硬球……、どのように分類しますか?

２０２０年は生物多様性国際年であり、10月には生物多様性に関連する国際会議ＣＯＰ10が名古屋で開催されます。その影響もあるのでしょうか、生態系サービスという言葉が、新聞やＴＶなど、マスコミでも使われつつあります。これは健全な生態系から、私たちが食料、医薬、水、さらには気候緩和などの効用を得ることができるということです。かつてから、私たちは、里山から燃料、肥料、キノコなど、多岐にわたる恵みを得ていましたし、さらに里山は、生物多様性の原点であるともいえます。森林からは、建材、燃料などのバイオマス資源を得ることができました。里山や森林のみならず、田畑も、河川も、これらは恵み資源の源泉であるといえます。気象緩和にも、大いに貢献してくれています。まさに、これらの里山、森林、田畑、河川……などは、生態系サービスの原点であるといっても過言ではないでしょう。

人口減少社会を迎えつつある今、かつての先人たちの、自然環境の中での地域社会形成の知恵、営みの知恵、自然とのつきあい方の作法などを学習し、再確認し、そこから多くの刺激を得ながら、新しいライフスタイル提案や経済活動を展開する好機であると思われます。丹波はこの方向に対して、一番近い位置、環境にあると思いますし、既に始まっているともいえます。

ファーストフードに対する「スローフード」や「スローライフ」、健康と持続可能性を意図したライフスタイルを意味する「ロハス」などが、イタリアやアメリカから発信され、世界中に展開していますし、よくいわれた「モッタイナイ」も同様であると考えます。丹波の森構想は、20年も前から、森林文化を標榜し、地域全体を森とした地域づくりを推進し、地域のライフスタイル提案を推進してきたとも理解できます。この丹波の森構想20年の評価・検証を踏まえて、次の20年を見据えた丹波らしいライフスタイルを提案し、構築し、実践し、発信するよい時期であると思います。

人口減少時代の新しい地域づくりを丹波から

丹波を舞台にした、地域づくり実践の更なる展開にエールを送っています（兵庫丹波の地域情報紙　丹波の森　No.41　２０１０年９月）。

地域づくりを議論する中で、最近、気になることがあります。従来からの地域づくり手法が、本当に役立つのかということです。今、私たちが持っている地域づくり手法の多くは、徐々に修正はされてきたものの、高度成長時代、いわゆる都市が成長する時代に、その多くの基礎が構築されてきたといえます。

人口減少社会、高齢化社会の地域づくりはどうすればよいのでしょうか。これまでの高度成長時代には、農地や森林が、住宅や工場などの都市的な土地利用に転換されてきました。この方向を基調にしてまちづくり、地域づくりが進んできたといえます。しかし、これからは、住宅地などの都市的な土地利用から、空地、緑地、農地や森林などの自然的土地利用へと転換することも考えられます。まちづくり、地域づくりの手法を見直す、あるいは新たに構築すべき時期に来ています。

私たちが直面している地域づくりの課題として、①人口集中地域での、都市や産業の再生、②人口疎住地域での地域づくり、地域再生、いうならば、森林や田畑、集落、まちを包含した多自然居住地域の活性化がありまず。今こそ、人口減少、高齢化を契機にした新たな地域づくり手法を提案し、実践する時期に来ていると思います。

今年の10月には、名古屋で生物多様性の国際会議ＣＯＰ10が開催されます。温暖化で代表される気候変動、生物多様性の確保などが、地域から地球規模で議論し、行動する時期になりつつあります。生物多様性の確保を通じた持続可能な地域づくり、そこから享受できる多様な生態系サービスの維持などは重要です。では、丹波ではどうなっているのでしょう。丹波では、豊かな自然を背景にして、過去20年余にわたって「丹波の森構想」のもとで、多様な生態系サービスを享受した地域づくりが住民主導で進められてきました。しかも、これらを兵庫県独自のみどり条例などの仕組みが支えています。前述した②の人口疎住地域での先進的な試みであるといえます。さらに特筆すべきは、市民活動が地域づくりと共に、非常に活性化していることです。歴史、文化、芸術、特に祭りなどの伝統芸能の学習と継承、丹波地域全体を舞台にした住民主体のシューベルティアーデたんば、創作市民オペラ「おさん茂兵衛　丹波歌暦」などが展開されてきています。地域づくりの進展と共に、自立した住民組織が成長し、多様な継続性のある催しが展開されています。

丹波では、人口減少社会の地域づくりの実践が既になされてきました。これらの丹波の地域づくりの蓄積を、さらに発展、展開する時期です。小規模集落、人口減少をバネに、多自然居住地域での新しい地域づくりのムーブメントを丹波から発信する時期であると考えます。

21世紀社会への挑戦

10年ほど前の原稿です。21世紀での、地域づくりへの期待を丹波の方々に投げかけています（兵庫丹波の地域情報紙　丹波の森No.42　2011年3月）。

20世紀の終わりから21世紀初頭に私たちが夢みていた「新しい21世紀社会」は、果たして実現しているのでしょうか？　最近、私たちは、時代の大きな変わり目に差しかかっているとしみじみと実感することがあります。低成長経済、超高齢社会、人口の偏在問題、小規模集落問題、政治の混迷、児童虐待などの社会問題や家族問題、海外との貿易問題や近隣諸国との付き合い方など、国内外に問題が山積しています。

このことは、私たちの社会が、これまでの無我夢中で高度経済成長を追求し、物的、量的な豊かさを追い求め、実現してきた社会から、安定した大人の成熟社会へと変化しつつあり、その変わり目で諸問題が顕在化してきているものと思います。今、私たちは英知を結集して、新たな発想のもとで、これらの諸問題を克服することが求められています。そのためには、地域「社会の目標」を共有し、実現のための「社会の仕組み」「知恵」「担う人材」などが必要と思います。

21世紀「社会の目標」は量的・物的な豊かさより、安全・安心を基礎にした人間らしい心の豊かさ、社会の豊かさではないでしょうか？　このことは、丹波のみならず、多くの場で議論されています。では、丹波での「社会の目標」とは何でしょうか。再度、皆さんで議論し共有することは如何でしょうか？

その実現のための「仕組み」として、兵庫県下では「参画と協働」が提唱され、各地域で実践されています。10年間に丹波地域ビジョンを策定した時期から、本格的に継続的に実践されていると思います。

この実践のための「知恵」は、豊かな地域社会を構成し生業を営々と継続してきた丹波の伝統や社会に、多くを見いだすことができると思います。「丹波の森構想」のもとで20年余にわたる実績もあります。これに加えて、丹波の森大学、丹波OB大学、ウィーンの森訪問など、丹波の森公苑、丹波・篠山両市、NPO、団体などが主催してきた多くの生涯学習を通じて、有意な「人材」が育成されてきています。

今、これらの実績・蓄積を活かして、やや閉塞気味のわが国21世紀社会の先駆けとして、丹波から行動し、全国に発信する格好の時期であると思います。

クリエイティブ・クラスとしてご活躍ください

高齢者大学である丹波ＯＢ大学の卒業生に、社会で活躍し、貢献してほしいとのエールを投げかけています（丹波ＯＢ大学報告書　はじめに　２０１５年２月）。

公立の2年制大学（専門学校を含む）として、第二次大戦後に、アメリカでコミュニティ・カレッジ（Community College）が広く普及したといわれています。コミュニティという表現にありますように、その地方の住民、あるいは税金を払って住んでいる人たちへの高等教育、生涯教育、継続教育の場として設立された場合が多いとされています。このように見ますと、丹波ＯＢ大学、大学院は、立派なコミュニティ・カレッジであるといえるでしょう。この大学、大学院が、近隣に位置する諸施設、例えば丹波年輪の里、丹波布伝承館、丹波並木道中央公園、篠山チルドレンズミュージアム……等と連携するならば、さらに素晴らしい丹波らしいコミュニティ・カレッジになるだろうと期待しています。

最近、クリエイティブ・クラスという用語がよく使われています。日本語では、「創造的な階層の人々」とでもいえるでしょう。このクラスの方々の必要性について「我が国が前例のない少子高齢化を伴う人口減少社会を迎える中で、活力ある定住自立圏を構築していくためには、定住人口のみならず、交流人口の増加に着目するとともに、一人ひとりが生み出す知的付加価値の向上を図る必要がある」と解説され、「この『クリエイティブ・クラス』とは、新しい価値観、ワークスタイル、ライフスタイルを有した創造性の供給者と位置づけられており、具体的な職業としては、科学者、技術者、芸術家、クリエーター、マネジャー、専門家、技師等を含んでいる」（創造的人材の定住・交流の促進に向けた事例調査、総務省、平成24年）とされています。

唐突にクリエイティブ・クラスというカタカナ用語を持ち出しましたのは、コミュニティ・カレッジとしての「丹波ＯＢ大学大学院」の皆様が、丹波地域でのクリエイティブ・クラスであって頂きたいと考えたからです。皆様方は、ＯＢ大学での4年間、大学院での2年間で、座学、実技を通じて、科学、技術、芸術、マネジメントなど様々なことを学んでこられました。加えて、多くの方々との協働の方法も学ばれたと思います。従来からお持ちの知識と、ここで習得された知識を総合化して、丹波地域の活性化に、クリエイティブ・クラスとして、一役かって出て頂きたいと期待するからです。

新たなる出発

丹波の森公苑、その11年目の新しい出発に際して、新たな展開への期待を込めた内容です（丹波の森公苑年報　2006年）。

「丹波の森構想」のコンセプトを基盤にしつつ、「丹波OB大学」「丹波の森大学」「シューベルティアーデたんば」「創作市民オペラおさん茂兵衛　丹波歌暦」「講座丹波学」「民俗芸能祭inたんば」「たんば共創の森塾」「縄文の森塾」「丹波（篠山市・丹波市）のむかしばなし」「ウィーンの森訪問」……などなど、芸術、文化、歴史、自然など多岐の分野にわたる多くの事業、イベントが丹波の地で、参画と協働を基礎にして創造的に展開されてきています。2006年（平成18年）度は、多くの県民の皆様に支えられて、丹波の森公苑は10周年を迎えることが出来た記念すべき年でした。森林での学習や活動の拠点的な施設である「ささやまの森公園」も、丹波の森公苑の仲間として活動を積極的に展開しています。

このような丹波での様々な活動が、先進的な地域づくりへの貢献として評価されて「国土庁長官賞」（1997年）を受賞したり、市民主導型音楽祭とも言える「シューベルティアーデたんば」が「ふるさとイベント大賞―文化・交流部門賞―」（2005年）を受賞したりすることができました。丹波、兵庫のみならず日本全体から、活動を高く評価して頂いたものと感謝申し上げる次第です。

しかし丹波地域でさえも、ここ数年、他の多自然居住地と同じように高齢化と人口減少が急速に進みつつあります。医療、福祉、教育、買い物など生活の安全・安心を再度見つめ直すべき時期に来ていると思われます。この中で、市民主体・参画型の「シューベルティアーデたんば」「創作市民オペラおさん茂兵衛　丹波歌暦」などの展開、地域をより良く理解する「講座丹波学」「丹波のむかしばなし」や「民俗芸能」の発掘・継承などの展開、環境を創造的に保全する「森づくり活動」「地域づくり活動」などの展開は、地域をみんなで活性化するための素晴らしい手段として丹波で育まれ成長しています。一方で、昨今の行財政改革の波は、丹波の森公苑も無関係ではありません。公苑運営のさらなる工夫、効率化が求められています。

そのためには、この10年間での実績をふり返りつつ、さらなる展開を意図して、丹波地域で今何が求められているのか、より効率的な運営は如何にあるべきかなど、公苑のマネジメントの質が問われる時期にさしかかっているものと考えています。「造る」から「使う」時代といわれますが、これまでに培われてきた丹波での人材や市民組織の質と集積は素晴らしいものがあります。丹波の森公苑を舞台にして、丹波地域で展開し、兵庫、日本へと発信することを祈念しています。

丹波の森公苑の11年目の「新たなる出発」を祝福するかのように、２００７年（平成19年）の正月には丹波での日本最大級の草食恐竜の化石発見の報が日本中に報道されました。今後のさらなる発掘に期待しつつも、但馬のコウノトリのように、丹波の恐竜化石は地域活性化、地域づくりのシンボルとして活用されることを期待したいものです。

年報のような印刷物は形式的になりがちですが、編集者により解りやすく的確に表現すべく様々な工夫がなされています。これを通じて丹波の森公苑での活動をご理解頂き、公苑の活性化のため、丹波地域活性化のために、皆様のより一層のご配慮、ご支援をお願いいたします。

地域環境

丹波地域で環境問題を語る際、ＳＤＧｓ、地球規模での気候変動、生物多様性、外来種問題をも含めたグローバルな課題、これらと里山、ナラ枯れ、局地的豪雨など丹波ローカルな課題、その両側面から総合的に語ることは重要です。これらを踏まえつつ、子どもたちの環境学習を推進する必要があります。その過程で、共生、生態系サービス、倫理的消費などのキーワードなどが重要になってきます。

かつて、鳴海先生（大阪大学教授、当時）たちと計画論について議論した際、ジェット気流のように、地域に向かって急降下してくる地球規模での課題群、ローカルな地域独自の課題群、これらを明確に整理し、統合的に議論することが重要であることを学びました。また、課題群の議論から、過去に向かってフィードバックするのではなく、将来に向けてフィードフォワードすることの重要性を議論しました。これらに加えて、鳴海先生から、課題群を星雲の分布のようにまとめてみてはとの謎かけがありましたが、いまだ未解決のままです。

ここでは、前記のことを踏まえた記述になっているのかやや不安ですが、環境問題などに関係する原稿を集めてみました。

「生活知」と「専門知」の統合 ―環境問題への挑戦―

地域に住まわれている方々が育んでこられた伝統的な生活知、これらを用いた環境問題への挑戦を期待して記しました（丹波ＯＢ大学大学院２００７年のまとめ　巻頭言　２００８年10月）。

地球規模での環境問題、特に温暖化などに対して「緊急に何とかしなければ」という大きな動きが、漸くＴＶ・ラジオや新聞などのマスコミを通して本格的に報道されるようになってきました。地球温暖化の防止、生物多様性の維持、熱帯雨林の保護…等々です。

このために私たちが取り組むべき多くの課題が目前に存在しています。従来から提唱されているリユース、リサイクル、リデュースといわれる３Ｒ運動です。兵庫県では、これらにリフューズ、リペアを加えて５Ｒとしています。これらの具体的な行動として、地域では省エネ・資源、買い物袋持参、フリー・マーケット、さらにはバイオマスの活用、風力やミニ水力などの新エネルギーの導入、電気自動車やハイブリッドカーの導入……などが展開されているところです。

緑のカーテンは山の芋、丹波の森公苑大ホール前にて、丹波市

「地球規模で考え、地域で行動する」（Think Globally, Act Locally）という言葉が使われてきていますが、今、まさに各地域で、住民、企業、団体、行政などが一体となって、このことを本格的に実践し、展開する段階に到っているといっても過言ではないでしょう。従来から、丹波地域では、これらの行動は「丹波の森構想」を基調にしながら、地道に着実に実践されてきているといえますが、さらに加速し、発信する必要があるといえます。

ここで「生活知」と「専門知」の統合という考え方を提案したいと思います。丹波ＯＢ大学大学院には、ある特定分野の専門的な深い知識、いわゆる専門知を有した人や、丹波地域での日常の生活から学んだ生活の知識、いわゆる生活知を有した人が多くおられます。両方の知識を統合して地域で実践することは、丹波地域に旨く適合した最先端の専門的知識を展開することになると思います。少子・高齢社会、人口減少社会と言われていますが、環境問題解決のための高齢者パワーの発揮のしどころといえます。

丹波の新しい環境づくり、風景づくりのために、皆様方のご活躍に大きな期待を寄せると共に、益々の御健勝を祈念申し上げます。

子どもの社会性を育もう〈エコキッズクラブの皆さんへ〉

河合雅雄先生、小山修三先生たちが、丹波の森公苑を舞台にして主宰されている、丹波の子どもたちのための環境学習プログラムの修了式でのエールです（丹波の森子ども環境塾エコキッズクラブ　修了式の挨拶　２００８年２月）。

一年間にわたるエコキッズクラブ活動に参加していただいて、ごくろうさまでした。地球温暖化、里山、生きもの探検、ふろしき、地域の特産品、間伐材で工作など、多くのことを学んでくれたと思います。そして、みんなで力を合わせて挑戦したことを憶えていてくれると思います。

自然や環境のことを「レジャー感覚で学ぶ」ことは世界的な流れです。皆さんはそれを丹波の森で、１年生から5年生の友達やスタッフの皆さんと一緒になって進めてきたのです。

このエコキッズクラブ活動が皆さんの生活に役立つことを心から願っています。今後もいろいろなことに友達や家族、そして地域の方々の協力をいただいて挑戦してください。

里山の学習会、丹波の森公苑、丹波市

〈保護者の方々へ〉

皆様の子どもたちに、エコキッズクラブの活動に参加する機会を与えて頂きましたことに対して心からの敬意を表します。これからの子どもたちを取りまく自然や環境は決して楽観視することはできない状況になってきています。そのために、子どもたち自ら考え、そして、友達、家族、地域の人々と話し合って考え、行動する能力がより重要になってきます。この小文のタイトルを「子どもの社会性を育もう」とした理由です。このような活動を通じて、環境のことを子どもたちが学ぶと共に、皆で考え、議論し、行動するプロセスそのものが、社会性を育む上で必要不可欠です。

(財)兵庫丹波の森協会ではこのような活動を更に洗練して展開していくこととしています。今後ともご支援、ご協力をお願い申し上げます。

生態系サービス

丹波地域での生態系サービスについてのコメントです（丹波の森公苑ブログ　公苑長の独り言　２００９年10月）。

この10月も、先月に引き続いて、何故か例年に較べて多くの講演会、フォーラムに参加しました。それらの中に、２０１０年10月、名古屋で開催される「生物多様性条約第10回締約国会議」（ＣＯＰ10）に向けての2回のプレイベントが神戸でありました。これは昨年、洞爺湖サミットに向けて、環境大臣会合が神戸で開催されたからです。この2回の会議での主目的は、「生物多様性の保全と持続可能な利用を推進し、自

丹波の食、ボタン鍋

丹波の食、マツタケ

丹波の食は生態系サービス

然との共生に向けた地域づくりを促進」することに焦点が当てられていました。

会議の中で、生態系サービスという概念が度々紹介されていました。それらは、生物多様性が保全されている健全な生態系によって、①気候制御、②淡水資源の提供、③バイオミミクリーの触発、④自然薬の提供、⑤文化的サービスが提供されるという意味です。この中で、バイオミミクリーという言葉は耳慣れないのですが、自然の形などから学ぶことや触発を受けるなどのことです。動物の形から、新幹線の先頭車両や自動車のデザインが構想された例などがあげられています。

翻って、丹波で、上述した生態系サービスを考えてみますと、従来から継続して考え、享受してきたことであることは明らかです。丹波の風景、味覚、文化・歴史、自然環境など、「丹波の森構想」のもとで進めてきた地域づくりが、まさに生態系サービスを享受することであったと再確認している次第です。

倫理的（エシカル）消費の復権

消費者の視点から環境を考え、行動するために、倫理的消費の勧めについて解説し、丹波地域での、その展開を期待しています（丹波OB大学報告書　はじめに　2012年2月）。

これまでも言われていたことですが、日本の人口が急速に減少し、高齢化する旨の報道がなされています。加えて、これまで日本経済の牽引の一翼を担っていた電気メーカーなどの製造業が、赤字にあえいでいる状況に至りつつあります。まさに、わが国は本格的な成熟社会に入りつつあります。

このような社会で、私たちOB大学修了生は如何なる社会的な活動を展開すべきなのでしょうか。最近学んだ用語に「倫理的（エシカル）消費」という言葉があります。これには、今まで各地で実践されてきた地産地消、地域内循環等が該当するのですが、加えてフェアトレード、スローライフなどの動きも注目されています。フェアトレードとは「より公正な国際貿易の実現を目指す対話・透明性・敬意の精神に根ざした貿易パートナーシップのことで、とりわけ南の疎外された生産者や労働者の権利を保障し、彼らにより良い交易条件を提供することによって持続的な発展に寄与すること」とされています。要約しますと、私たちの消費行動に、「環境に優しい商品」に加えて「環境にも、社会にも優しい商品」を購入するという行動に変化しつつあるということです。スローライフとは、聞かれたことがあると思いますが、「食の材料選択から始まり、調理に時間をかけて、家族や友人たちとゆったりと食するスローフード」に代表されるように「ゆったりとした生活」のことです。

かつて、丹波地域のみならず多くの地域では、このような倫理的消費をしていたものと思います。グローバル経済の中で、数十年にわたるわが国の高度成長の期間に忘れていただけではないでしょうか。このような記憶、経験をお持ちのＯＢ大学修了生の皆様の出番であると思います。かつての記憶、経験を今風に再構築し、丹波ならではの倫理的消費の展開、発信などは如何でしょうか。

皆様方のますますのご発展とご健勝を祈念申し上げますと共に、大いなる活動の展開と御活躍を期待いたします。

毎年8月に開催される丹波篠山のデカンショ祭りは、オールジャパンの、有名な伝統的・文化的なお祭り行事です。また、厳冬期の行事として、丹波柏原の厄除大祭も多くの地域住民に親しまれています。このように丹波では、四季折々の伝統的な催事が、営々と市民たちによって守り続けられています。これらに加えて、茶道、華道、能楽、さらにはコーラスやクラシックなどの音楽、モダンダンス、地元の伝統的な文化活動などが、市民によって活発に展開されています。

市民が主体となって、年中行事として仕立て上げた音楽祭、シューベルティアーデたんばがあります。オープニングは篠山のお菓子の里、フィナーレは丹波の森公苑と、いつしか決まっていたようです。この間に、小学校、お寺、ホール、田んぼ……丹波地域全体を舞台にして、様々な工夫を凝らしたミニ演奏会が展開されます。いうならば、地域密着型のユニークな本物の市民手づくりの音楽祭です。この背景に、地元に、社会的、文化的伝統のあることは確かですが、加えて、丹波の森公苑を拠点にした丹波文化団体協議会などの地元組織の活躍もあります。

これらの文化的な活動に加えて、地域の伝統的な農業施設ともいえる灰屋、地域文化、文化の語源、にわと文化、文化とわびさびなど、様々な地域文化に関わる原稿を集めました。丹波文化の奥深さを堪能してください。

丹波学ことはじめ

但馬でのコウノトリの野生復帰、丹波での恐竜化石の発見がありました。これらの延長線上に、丹波学を位置づけ、丹波の方々への学びのメッセージとしました（兵庫丹波の地域情報紙　丹波の森No.35　２００７年９月）。

「7月31日午後2時16分、46年ぶりに自然の状態でコウノトリのヒナが巣立った」とのビッグニュースが飛び交いました。丹波から但馬に向けて、最大限の絶賛のエールをお送りいたします。一度絶滅した大型の野生動物を自然に戻すために、大変な物的、人的な努力・工夫が注ぎ込まれた結果であるといえます。このためには、専門家のみならず地域の人々の絶大な協力があったからこそと思われます。コウノトリを野生に返す仕事は、単に放鳥するだけではなくて、人々の暮らし方を含めて、河川、水田、山林などの生息環境そのものを自然に回復するという壮大な試みが背景にあります。多くの分野の方々の協力があればこそ成し遂げることが出来たのでしょう。今後のさらなる展開が期待されます。

一方、丹波では「1億年以上も前の恐竜化石の発見の報告」で２００７年（平成19年）は明けたと言っても過言ではないでしょう。地元丹波在住の足立さん、村上さんがおられたからこそ、そして、こつこつと歩いて調べられていたからこそ、この化石発見があったといえます。また、発掘には、専門家のみならず多くの地元ボランティアの方々の参加があったことは記憶に鮮明です。頭骨の一部、尾骨、血道弓など非常に多くの化石が見つかっています。２００７年の11月からの二次発掘にますます期待が膨らんできます。発掘のさらなる成果を期待すると共に、コウノトリのように、恐竜化石をみんなで見守って、丹波地域全体にどのように化石効果を波及させるかが問われているとも言えます。環境学習、生涯学習、地域活性化、地域おこし、地域整備、名所づくりなど期待は高まるばかりです。

このような動きには、これまで丹波地域で培われてきた参画と協働のプロセスは不可欠です。県下でも先進的に進められてきた丹波でのこれまでの経験を基礎に、さらなる展開が期待されます。丹波の森公苑でも、積極的にこのような動向を支援する試みが始まります。例えば、講座「丹波学」があります。ホームページには次のように記述されています。講座「丹波学」は、多彩な地域資源を有する丹波地域の魅力の再発見などを通じて、伝統文化等を活かした地域づくりに結びついた学習の機会を提供することを目的に、１９９６年（平成８年）度より実施しています。

恐竜化石、最初の発見者の村上さん、足立さん
（ひとはくの展示パネルから）

最初に見つかった恐竜の化石
（ひとはくの展示パネルから）

今年度のテーマは「地下からのメッセージⅡ」～丹波竜にたくす夢～。２００６年、突如として丹波地域（篠山市・丹波市）に

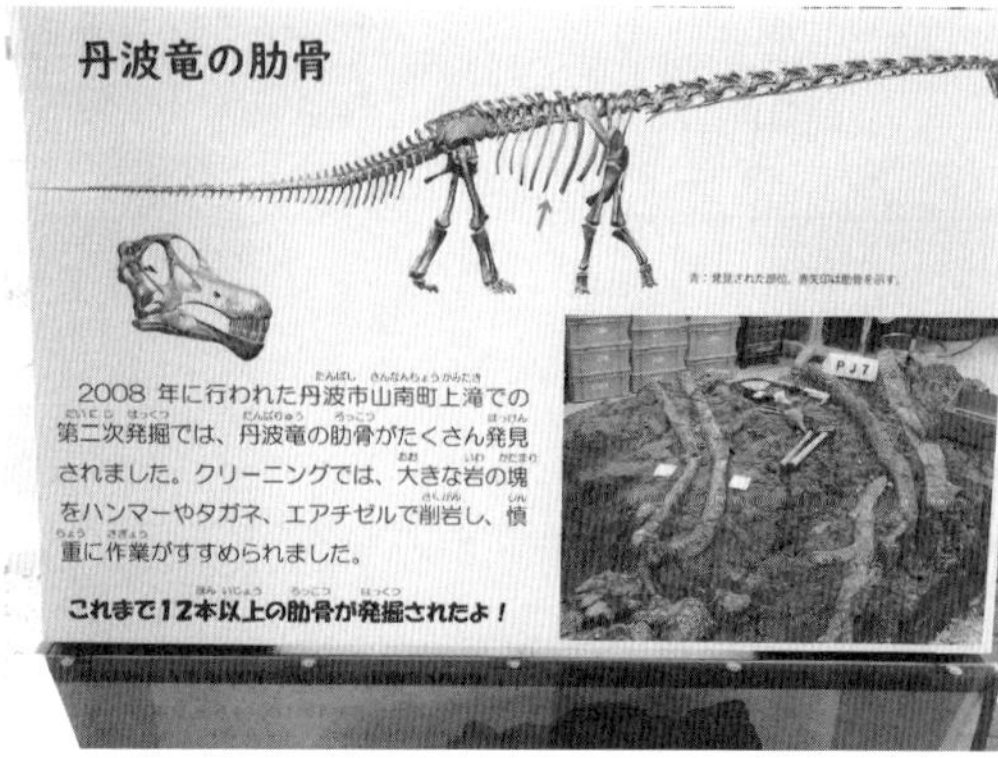

初期に発掘された化石、ひとはく展示より

1億年以上の長き眠りから再び地上に甦った「丹波竜」。今回は、その丹波竜を中心にしながら、篠山層群の成り立ちなどに焦点を当て、それらを活かす街づくりをみんなで考え、丹波の魅力を探っていきます。また、好評をいただいております現地学習「丹波を歩く」では、発掘現場である山南町の川代峡谷や同じ年代の篠山市の地層などを見学。丹波竜を通じて丹波の魅力を再発見！　今年の講座「丹波学」をぜひ受講ください。

（財）兵庫丹波の森協会・丹波の森研究所の充実もあります。篠山分室を設置し丹波全域に対する支援体制を強化しています。また、専門研究員に加えて、登録研究員を充実し、地域活性化、地域おこしなどに対してさらなる積極的な活動も展開される予定です。

農業遺産、灰屋の再現

丹波地域には、地域独自の農業遺産というべき灰屋《はんや》が山裾に点在しています。地域の高齢化、農業の近代化のため、多くの灰屋は荒廃の一途をたどっています。灰屋の研究報告書の「はじめに」を、ここで紹介します（丹波の森大学専科コース報告書　はじめに　2007年5月）。

丹波の森大学専科コース修了生の有志の皆さんが、本当に本物の灰屋を創り上げてしまった。いうならば丹波地域で消えゆく運命にあった灰屋を蘇らせ、命を吹き込まれた。これが私の本当の感想です。地域の伝統である灰屋を建設し、使い方を学びながら、皆で使い込もうと、そして、焼き土を活用しようという、まさに、21世紀、成熟社会での地域住民による伝統

1 年をかけて完成した灰屋、丹波市（丹波の森公苑）

農業遺産・灰屋の再現、参加者の方々、丹波市（丹波の森公苑）

灰屋の調査研究報告書、丹波の森大学専科生

の掘り起こしの新たな試みとして大いに評価するところです。

この灰屋建設の前提として、丹波のバイオマス研究があります。当初は、炭焼き、下草刈り、水車……、丹波の伝統的なエネルギーや資源について議論していたと思います。その後、灰屋にたどり着き、専科コースの皆様と、灰屋の現地調査をしたり、構造を測ったり、分布図を作成したりしたことを記憶しています。これらは報告書として完成していますが、この調査が灰屋建設の基礎になったのではないかとも考えています。

何回にもわたる熱気あふれる会合を通じて、「丹波の自分たちの知恵と力を結集して、本物の灰屋を創ろう」、まさに参加者された皆さんの「気持ちが一つ」になり「目的が一つ」になったからこそ、この灰屋完成に到達できたものと賞賛の辞をお送りする次第です。この建設の過程で、材料や機材の調達、そして日程調整など多くの難題もあったと思いますが、参加者全員の協働で行動すれば素晴らしいということを同時に学ばれたものと思います。

既に、灰屋建設の次の段階が既に始まりつつあると聞いています。灰屋で生産した「焼き土」を用いた山の芋造りへと展開しているとのことです。この灰屋づくりから出発したこのエネルギーの連鎖をさらに丹波全域のみならず兵庫へ、そして日本へと拡大されることを期待いたします。

地域文化を生かしたまちづくり

統一性のもとの多様性、このような地域文化の、丹波での展開にエールを送った原稿です（丹波文化団体協議会報第9号　巻頭言　２００７年12月）。

まちの景観を考える際に、「多様な要素」で構成された「統一性」が重要であるとよくいわれています。「多様な要素」とは、まち中は、様々な住宅・商店・事務所などの建物、街路、公園・緑地などの多様な要素で構成されていることを意味し、「統一性」とは、まちから離れて遠くから見ると統一性のある美しい風景を感じることができることといえます。このように考えますと、地域文化についても、全く同様のことがいえるのではないでしょうか。

かつて日本大使を務められたアメリカ人のライシャワー博士が、「日本は多くの盆地（流域）を基礎にした都市国家で構成されていた」旨のことを書物で書かれていたことを記憶しています。各々の都市国家、つまり「まち」は、地域の独自性を保有し、周辺の気候・自然環境を、そこに住まう人々の日々の営みを媒介にして長い歴史的時間軸上でまちに映し込み、まち（都市）の特徴ある景観や地域文化を築き上げてきたのでしょう。地域文化は、このように景観と同じく、長い時間をかけて独自の発展・進化を遂げてきたものと思います。さらに、地域文化は、まちの環境や景観とは相互依存の関係にあるともいえます。

一方で、最近の情報処理技術の飛躍的な発展は、日本のみならず地球規模で、地域の芸術や文化の画一化を促進させていることは否めません。世界の何処にいても、最先端の文化や芸術を享受することができる時代になっています。しかし、この結果、音や映像情報、つまり聴覚や視覚情報に特化し、嗅覚、触覚、味覚情報は削ぎ落とされつつあるともいえます。この意味からしますと、地域文化は、人々の五感、さらには第六感に働きかける人間性豊かな、あるいは人間性回復の文化であると考えられます。

最近、都市と地方との格差、地域活性化、地方再生……等々の用語を、新聞・テレビなどで良く見聞きしますが、これらの用語の意味するところは、都市から「個性のない画一的な」地方を注目した場合の観点が主になっていると感じています。地域文化はこの逆のベクトルで、個性ある多様な地域から画一的な都市へ情報発信すると同時に、地域のまちづくりを支える重要な要素であると考えられるのではないでしょうか。さらに、これらの地域文化を次の世代に継承するための人材や組織の育成は急務であるといえるでしょう。

このように考えますと、丹波文化団体協議会の今日的な意味、役割の重要性が再確認できます。

丹波の知恵を21世紀の地域づくりへ

丹波に存在している共生の風景、これを地域づくりに活かそうと提言しています（丹波ＯＢ大学大学院報告書　はじめに　２００９年２月）。

丹波ＯＢ大学大学院で皆様方は、多様なことを学び、実践されてきたものと思います。また、環境問題などにも、関心を持たれた方もおられたでしょう。最近、環境に関連して、地球温暖化の問題は当然として、生物多様性、種の保存、そして共生などの言葉がよく使われています。生物多様性の危機として、①生きものの生息環境そのものの人的な破壊による危機、②私たちの農業や林業など生業の変化に伴う危機、③さらには、外来種による危機がいわれてます。そして、④として、地球温暖化による危機が指摘されています。これらを回避するために、種の保存や人と自然との共生は重要であるとの議論が進んできています。

（社）日本造園学会誌のランドスケープ研究では、最近の特集として「種の保存とランドスケープ」という特集が組まれました。その中で、何人かの著者は、兵庫県のコウノトリの取り組みが参考になると指摘していました。要は、コウノトリだけを守るのではなくて、コウノトリの餌生物が生息する集落、田園、河川、山林の環境を、一体として保全、再生していることに注目されていました。その中で、特集のまとめの原稿を書かせて頂きましたが、私が主張したことは「かつて私たちは自然と共生し、一緒に暮らしていた。生活の中で自然と付き合う、折り合いをつける術を有していた」云々のことでした。

このことは、まさに、丹波の森構想が意味する「森林、集落、田園、河川がうまく調和した地域」と同じであると思います。丹波には、周辺の小高い山々に森林があり、平地の田園には鎮守の杜とともに集落が散在し、人々が生業を営み、それらの総体として美しい生活景が保たれています。まさに、共生の風景といえるのではないでしょうか。

温故知新、丹波の皆様が営々と築きあげ、継承されてきた、自然との付き合い方、折り合いの付け方、生業の術など、共生の術を、新しい21世紀の地域づくりに活かす大切な時と思います。

生態系サービスと地域文化

タイトルどおり、自然の恵みと地域文化の共生について解説しています（丹波文化団体協議会報第11号はじめに　２０１０年2月）。

春告魚（メバル）の煮付けが美味しい時期になりました。私たちは、四季折々の旬に応じた多くの恵みを自然から享受していますし、日々の食材からは、移ろいゆく季節を感じることも多々あります。丹波では、早春の蕗のとう、春のワラビ、ゼンマイ、木の芽、菜の花の山菜等に始まり、米、黒豆、小豆、山の芋、栗、松茸などのキノコ……と、豊かな「自然の恵み」には事欠きません。これらは、霧、新緑、深緑、紅葉などとともに、丹波の魅力を構成する重要な要素群であり、地域文化の背景であるともいえます。

最近、これらのことを総称して、生物多様性を基礎にした健全な生態系が、私たちに供給してくれる「生態系サービス」と言われています。この生態系サービスには、自然・緑・地形・気象等が、私たちの精神的背景、文化的背景を形成することも含まれると議論されています。兵庫、丹波の各地で、皆様方によって活発に展開されています文化活動は、この生態系サービスを背景にされているとも言うことができます。２０１０年10月に名古屋で開催されるＣＯＰ10（生物多様性条約第10回締約国会議）の会議に注目しておいてください。

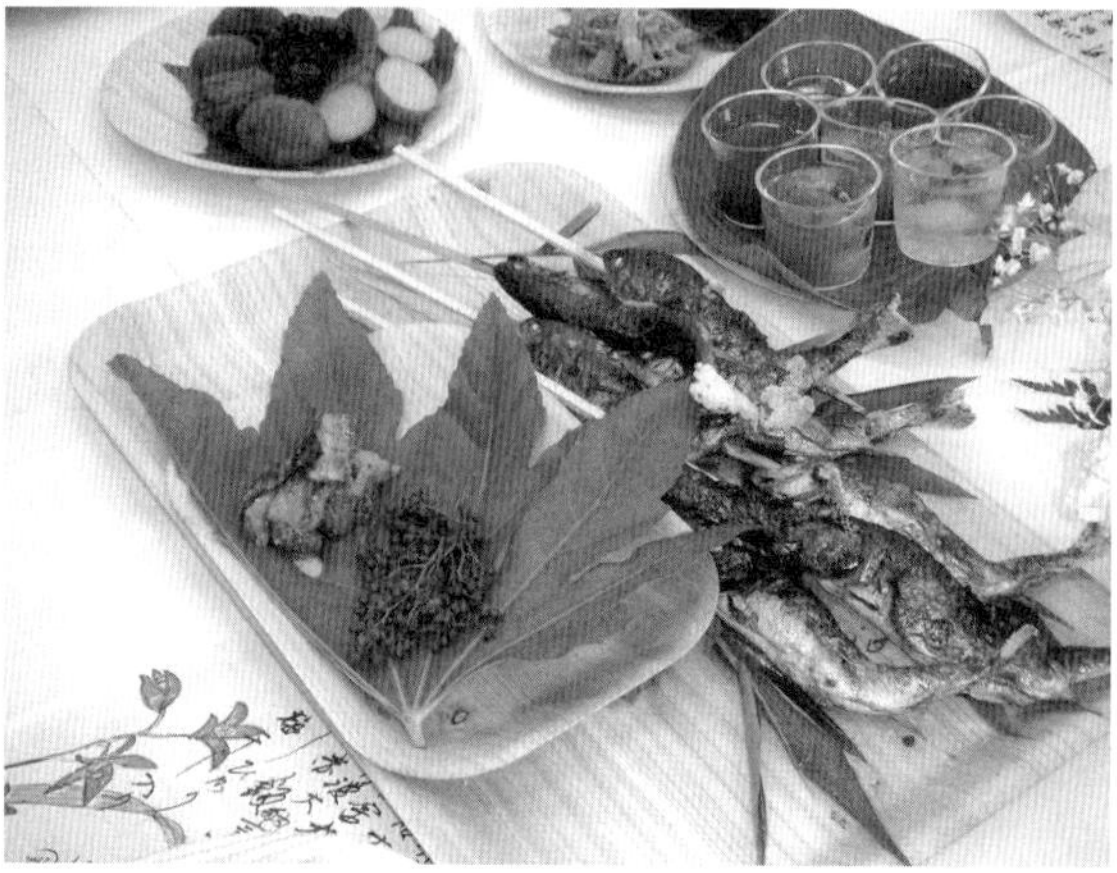

丹波産の食材を用いた料理、食の生態系サービス

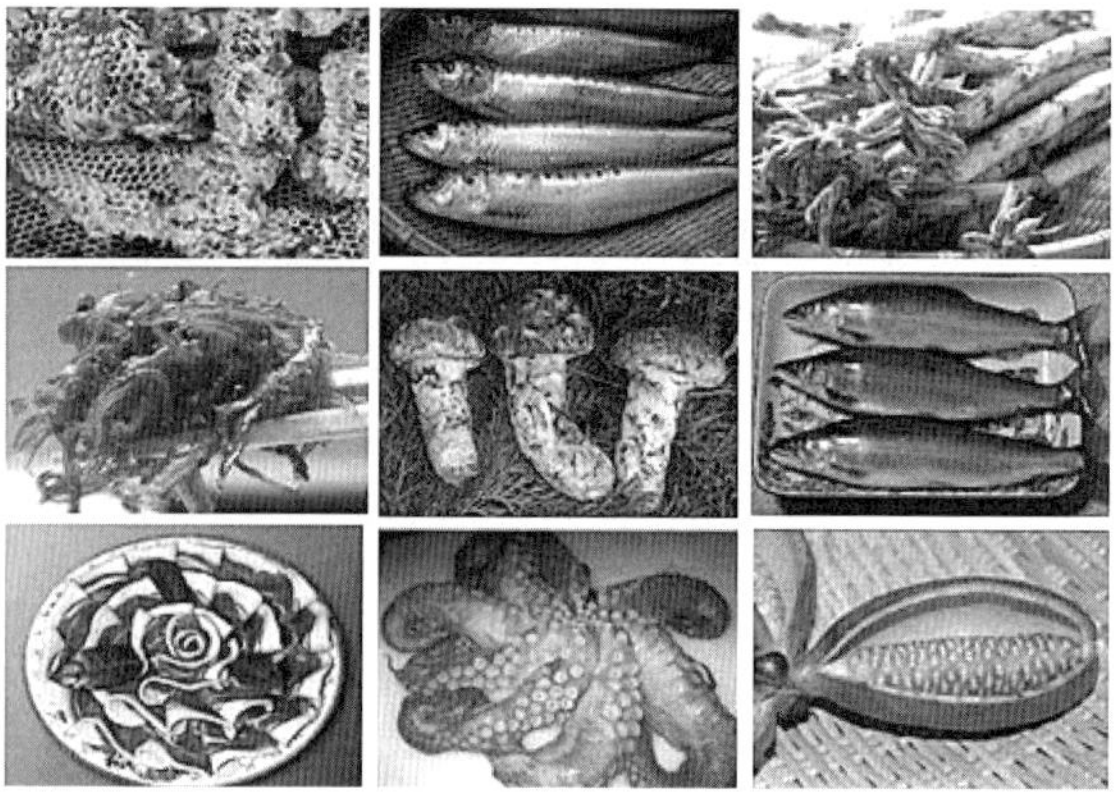

ひょうご、食の生態系サービス

　一方、中央集権から地方分権の時代と言われる今、地域独自の文化のさらなる発掘、復権、創造、その発信は重要です。このことは、生態系は地域毎に異なっていますから、生態系サービスから考えても当然のことです。

　丹波での皆様の活動を折に触れて、参加し、見せて頂いた経験から、丹波では、自然から人工までを統合したレベルで文化を捉えておられると感じています。欧米では基本的に「自然vs人工」のスタンスがありますが、丹波では「自然and人工」の形で進めておられるように感じ取っています。自然を基礎や背景にしながら人工的な文化活動にまで展開されておられるものと思います。タイトルに示しました「生態系サービスと地域文化」の最前線を丹波文化団体協議会の活動は目指しておられるものと敬意を表する次第です。

丹波流生活の知恵 ―その継承を子どもたちに！―

地域独自の自然との付き合い方、生活文化を、次世代の子どもたちに継承しようと訴えかけています（兵庫丹波の地域情報紙　丹波の森　No.43　２０１１年8月）。

早い梅雨入り、異常な雨の降り方、蒸し暑さなど、私たちのこれまでの経験と比べると、「変わったな」と思われる程の異常な気象状況が近年続いています。過去数十年、私たちが経済成長を謳歌した時期には、それほど甚大な被害をもたらす自然災害は少なかったように思います。しかし、阪神・淡路大震災以降、新潟や福岡などでの地震災害、豊岡や佐用などでの大水害などが頻発し、この度の東日本大震災では、大地震と巨大津波、さらには原子力発電所の最悪の事故による未曾有の甚大な人的・物的な被害が発生し、今も続いています。私たちは、原子力や大量の化石燃料の消費のもとで成り立つ画一的な快適で便利な生活を、これからも継続するのかを問われているともいえます。

50年ほど前の私たちの生活の中に、この問題解決のヒントがあるかもしれません（以下では私の記憶を紹介しますが、丹波の皆さんは丹波での経験を思い浮かべてみてください）。井戸水や渓流で冷やしたスイカの美味しさは、私が物心ついた頃の夢のような心地よい記憶の一つです。加えて、朝夕の打ち水、夕方、雨模様の際にヤンマが家へ飛び込んできた経験、早朝、近くの森でのクワガタやカブトムシ採りをした際の興奮、自宅近くの小川の橋での夕涼み、会話、囲碁・将棋、魚採りなどに夢中になった河原遊びなど……懐かしい思い出は枚挙にいとまがありません。自宅にはヘチマ、ヒョウタン、ウリ、さらにはアサガオなどの棚栽培がありました。今でいう緑のカーテンです。蚊帳も懐かしい思い出です。エアコンなどに頼らないリサイクル型の自然の懐に抱かれた生活であったといえます。これらを古い昔のこと、ノスタルジーと片付けるのではなくて、環境配慮型の生活の伝統的な知恵とみなすことができます。自然に寄り添った暮らし方の知恵の今日的な復権が、化石燃料などを大量に消費しなくてすむ社会の実現につながるものと思います。

既に、丹波の森公苑では、丹波の森縄文塾をはじめ子どもたちに自然との付き合いの術を伝える講座が開催されていますが、さらに活性化することを期待したいものです。「丹波の人々が、丹波の子どもたちに、丹波での自然との付き合いの術を伝える」ことを期待したいものです。

丹波のにわ

ひらがな書きの「にわ」、この意味を解説し、丹波での展開を期待した原稿です（兵庫丹波の地域情報紙丹波の森 No.44　２０１２年２月）。

２０１２年は、あの巨大地震・津波による東日本大震災から丸1年、阪神・淡路大震災から17年目を迎えます。改めまして、被災者の皆様に、衷心よりお見舞いを申し上げる次第です。被災された方々には継続的に支援を進めると共に、災害の教訓を皆で共有して、物的・組織的な防災面での備えを一層進める必要があります。

振り返りますと、今生きている私たちが経験したことのない規模の地震、津波、台風、豪雨、洪水、地崩れなどの自然災害が、21世紀になってから日本の各地で多発しています。かつての高度経済成長期は、自然災害の面では、幸いなことに比較的平穏な時期であったといえるかもしれません。この時期に、多くの人口が都市に集中し、その近郊には大規模な団地が造成され、都市域が飛躍的に拡大し、私たちの生活そのものが近代化されました。今では常識と思っているマイホームに代表される核家族を中心とした生活様式が定着したのですが、これは、長い歴史上からみると、たかだか数十年の経験であるかもしれません。それ以前には大家族型の生活など、多様な家族形態があったと言われています。大家族での生活を経験された方も、丹波地域には多くおられることと思います。

50年ほど前になるでしょうか、幼いころの私の生活を考えますと、8人家族で、両親、祖父母、曽祖父が健在でした。家族一緒の山仕事、野良仕事、お盆やお正月の楽しい思い出、集落の皆さんと楽しんだお祭りや運動会、そして日常の生活などでの付き合いの様子を鮮明に思い出せます。今は無くなりつつある大家族や地域社会の古き良き思い出でしょうか。私たちの小・中・高の卒業式では「仰げば尊し」を斉唱しましたが、詩は「仰げば尊し 我が師の恩 教えの庭にも はや幾年……」でした。長らく造園学を学んできましたが、ここで「教えの庭」は漢字表現されていますが、造園学的には、人々が集う場として平仮名の「にわ」が相応しいとも考えられます。

私たちは、家族、地域社会、さらには学校、会社などを介した、人と人との繋がりを持っています。昨年を表す漢字は「絆」でしたが、特に災害時の家族や社会の繋がりの重要性を意味してのことでしょう。このように、絆で象徴される、人と人とのより良い繋がりのある社会を、参画と協働で再構築することが重要であると思います。丹波の森構想が意図した内容に、このことも含まれていたのではないでしょうか。多くの人々が出会い、絆を結ぶことができる素晴らしい「丹波のにわ」「丹波のもり」を創造するために。

文化（Culture）の語源

原稿の材料が枯渇していたのでしょうか？　定番の culture ネタを展開してみました（丹波文化団体協議会報　はじめに　２０１３年1月）。

ずいぶん昔のことで恐縮ですが、１９７０年（昭和45年）3月に、大阪府立大学農学部を卒業しました。当時は、若くて脳が活性化していたのでしょうか、多くのことを学び、吸収していたようです。この齢になって、その頃のことをよく思い出します。農学部のことを、英語では College of Agriculture とされています。学生として、農学部に在籍した4年間、農学部の意味深さを、長老の教員の方々から事あるごとに聞かされたものでした。

その概要は次の通りです。英語でいう農業（Agriculture）の語源は、ラテン語の「畑」（Ager）と「栽培」（Cultura）にあるそうです。Cultura（栽培）という言葉は、文化（Culture）の語源であることも興味深い事実です。長い年月をかけて、土地や気候や生きものを熟知して、農業を営むこと、栽培することが文化の原点であるということを表しているのでしょう。さらに、農学部には、森林風致学、造園学という美を研究対象にした講座があります。自然、樹木、植物等からインスピレーションを得て、自然美の本質を探究し、それらを庭づくり、風景づくり、まちづくりに応用する分野です。

このように考えますと、四季折々の自然の恵み豊かな丹波の土地で、そこの歴史、文化、自然を熟知された、丹波文化団体協議会の皆様の活動は、まさに文化の本道であると思います。地域に、生活に密着した文化が、さらに洗練され統合化されることで、より豊かな丹波の文化が醸し出されるものと確信しています。

地域に密着した新しい意味での文化を、丹波の地から、兵庫、日本、世界へと発信して頂けることを期待申し上げます。

地域文化とわび・さび！

かつて、21世紀の都市（まち）づくり三田国際会議の場で、私たちが上手く「老いる術」と日本庭園の「わび・さび」は、良く似た概念であると議論しました。Successful Aging（上手く老いる）とSuccessful weathering（上手く劣化する）です。これを地域文化と結び付けてみました（丹波文化団体協議会報　はじめに　２０１５年1月）。

多くの方々が、80歳90歳以上の長寿を、健康にまっとうできる時代を迎えつつあります。いわゆる本格的な高齢社会の到来でもあります。では、これだけの長い時間を楽しむことができる利点に何があるのだろうかと、ふと考える時があります。

かつて高齢社会の研究をされていたイリノイ大学の先生と語る機会がありました。彼女は、高齢社会ではSuccessful Aging（可愛く、上手く老いること）の重要性を言っておられました。美しいものを美しい、美味しいものを美味しい、幸せなことが幸せとわかる人間らしい生き方だと思います。このような第二・第三の人生を楽しむことができるのは、多くの生きものの中で、人間だけがなせる技です。

若い頃、私は造園学を主に学び、実践していました。庭、公園、広場、まちや環境づくりなどを目的とするこの専門には、広範な領域を含んでいまして、「科学」だけでは語り尽くせない「美」や「芸術」「文化」、さらには、美しい庭や風景などを構築する「技術」までも包含していました。強引に考えますと、私たちの地域づくり、地域活性化などは、造園の考え方と深く関係するものと思います。

ちなみに造園の分野では、「わび」「さび」などの議論がありますが、その中でWeathering（風や雨によって木材などが上手く風化、劣化すること）の用語を用いて語ったことがあります。上手く老いることと共通性が見いだせるのではないでしょうか。

今、わが国では地方創生の旗印のもとで、各種施策が展開されようとしています。地方の経済活性化など緊急の課題解決に加えて、地方の文化再生や創生が重要であると思います。この際、かつての規格的一律的な文化ではなく、独自の気候風土のもと、地方で蓄積された伝統、技術、経験などを通した、地域に根差した文化を、参画と協働で掘り起こし再生することが肝要です。丹波文化団体協議会の皆様のますますのご健勝とご活躍を期待申し上げる次第です。

地域理解

丹波地域には、ユニークな地域紙ともいえる「丹波新聞」があります。全国紙でもない、地方紙でもない、この地域密着型の丹波新聞の記者の方々が、丹波を舞台に住民の皆さんと密着して活躍されている様を、地域理解の最良のモデルとして、兵庫丹波の地域情報誌丹波の森50号に記述しました。丹波の森研究所の研究員のことを誉め称えるために、丹波新聞の記者を引き合いに出した内容でしたが、「地域理解」を考える良い機会となりました。記念すべき丹波新聞第８０００号が２０２０年4月9日に発行されましたが、本書で紹介する当時の記事を振り返りながら「地域理解」を紹介して頂けました。

ここでは、「地域理解」を真正面から見据えた文章を紹介しています。４本は「地域理解」をキーワードにしています。丹波新聞での地域理解の記述と合わせて、地域理解の本質、地域文化とその創生などについて言及しています。最後の一本は、丹波ではなく滋賀県立大学の地域密着の活動の試みです。日本造園学会、ランドスケープ研究に書評として掲載された原稿です。

地域理解、まだ一般に普及していませんが、これからのまち・地域づくりの基礎的な概念として議論を深めていきたいものです。

農の地域文化

いわゆるAgricultureの文化に基礎を置いた、個性豊かな丹波の地域文化を期待した原稿です（丹波文化団体協議会報　はじめに　２０１4年6月）。

40数余年の長い期間にわたって、地域づくりに関する研究、計画、実践に携わってきますと、色んな能力を備えた研究者・実務家に出会う機会があります。発想力に優れた方、加工力や応用力に優れた方……多士済々の方々と共同作業を進めることができました。その中で、地道に、地域で、データを収集し、積み上げる方もおられました。学生のころ、士農工商に例えて、このタイプの方を、「農」の研究者・実務家であると議論されているのを耳にしたことがありました。近頃では、農の研究者・実務家が、地域づくりの基礎を担っていると確信している次第です。

一方、まちづくりや地域づくりでは、日本全体が、地域の個性や特性を見失ってしまったのでしょうか。どこのまち・地域に行っても、大量生産された材料を用いた画一化、標準化の方向を辿りつつあります。しかし、各地域の文化は、まだまだ独自性、地域性を有しているものと期待しています。

農（Agriculture）は、文化（Culture）の語源であると、前に記述しましたが、第一次産業の豊かな土地では、この豊かな生産力を基礎にして、地域独自の多様な文化が育まれ、継承・発展してきています。それは、地域の自然環境が、一方的に人々の営みを決定するのではなくて、自然環境と人々の営みが相互に作用しあって、文化活動が醸成されてきているものと考えられるからです。

丹波地域は、地域性を重視した特徴的な事例の一つであり、皆さま方の文化団体協議会の活動が、その中心であるものと敬意を表する次第です。丹波地域のみならず、兵庫、日本全体へと、皆様方の活動が発信されることを期待します。

地域理解

本書を出版する原点になった地域理解に関する記念すべき原稿です。丹波新聞の荻野社長が、この原稿コピーを用いて、新聞の販売促進に使われていました（兵庫丹波の地域情報誌　丹波の森　No.50　２０１５年1月）。

丹波新聞創刊90周年の記念式典が、10月23日に、森公苑多目的ホールで開催されました。多くの来賓の皆様が集われる中、「さすが丹波新聞」というべき洗練された演出がありました。記念講演は、丹波新聞と同い年、90歳を迎えられた河合雅雄先生が、「人類の起源と日本人の起源」と題して、化石などの年代測定法から人類の起源までについて、熱く語られました。この式典に参加して、地域密着型の新聞社が、丹波を舞台にして脈々と活動されてきたことに、改めて親しみを感じるとともに、心から敬意を表した次第です。

地方紙の定義とはどのようなものでしょうか。明確ではありませんが、地方紙は、「……発行部数や発行エリア、発行シェアによって地方紙の分類を行うことがある。また地方紙と地域紙を別のものと考え……」(ja.wikipedia.org/wiki）と記されています。こう考えますと、私たちの周りには、全国紙、地方紙、そして地域紙があるといえます。全国紙、地方紙では、到底対応できない地域のジャーナリズムを、丹波新聞は担っている、あるいは開拓しているといっても過言ではありません。この度の市島の災害報道は、地域紙としての丹波新聞の面目躍如たるものでしょう。これから超高齢社会を迎える多自然居住地域では、紙媒体としての新聞がはたす役割は格段に大きいと思います。さらに、丹波から外へ出られた方々に、懐かしい生きた故郷の情報を送り続ける発信機能も高いと聞きます。まさに、地方紙、地域紙のモデルであると思いました。

地理学や地域学などの分野で、地域を計量的に把握する方法は多くありますが、地域に暮らしている人々を含めて総合的に把握する「地域理解学」という概念は、既存の学問体系には存在しないと思います。長年、このことを考えていたのですが、地域に住み続けている、いわゆるレジデント型の丹波新聞の記者の方々が地域を巡ってつくり上げる新聞、これらそのものが地域理解であると思うようになりました。丹波の森公苑の職員、丹波の森研究所の研究員のことをレジデント型と思っています。このような地域密着型の、新たなタイプの研究者、実務家が、丹波新聞の方々と共に、丹波地域での地域理解を促進して、新たな地域創生の地、丹波となるよう協働して行動して頂けることを心から期待いたします。

地域創生を考える

何故、兵庫県では地方創生ではなくて、地域創生なのか？ 地域創生の主役は？ などについて考えてみました（兵庫丹波の地域情報誌　丹波の森 No.51　２０１５年6月）。

前号（丹波の森50号）のテーマは「地域理解」でした。今回は地域創生について考えてみます。国レベルでは、担当大臣まで設置して地方創生の議論が始まり、様々な施策が展開されています。その影響は、兵庫の各地に及んでくるようです。兵庫県では、井戸知事の下、独自に地域創生をテーマとして「地域創生戦略会議」を設置して、その戦略を策定し、積極的に施策を推進する体制が整えられました。

このようなことが何故必要なのか。それは、少子高齢社会の中、人口の東京一極集中で、さらに地方部での少子化が加速し、地方の活力低下、ひいては、わが国の活力低下に歯止めをかけ、再活性化の方向を見出すための挑戦であるといえるでしょう。

このような時期、3月末に国立台湾大学で開催された「地域が主体になった環境保全国際シンポジウム」に招聘して頂き、3日間の現地ツアーと2日間のシンポジウムに参加してきました。私には「丹波の森」の活動を報告してほしいとの依頼でした。日本人は私一人で、他はチベット、ネパール、マレーシア、タイ、イラン、アメリカ、オーストラリア、そして台湾からの参加者でした。地域住民が主になって自然を保全している各国の状況が報告されていました。名古屋で開催されたＣＯＰ10（生物多様性国際会議）でＩＣＣＡ ｓの重要性が議論されたことが、このシンポジウムの原点のようでした。ＩＣＣＡｓの用語は、初めて目にされる方が多いと思いますが、「原住民および地域社会が保全している地域」のことで、「生物多様性が確保されている地域」のことです。当然のことなのですが、この地域住民が関わるという考え方が、地域創生に大いに寄与するものと考えます。

昨今、コンパクトシティ、農業の六次産業化、交流人口の増大、地産地消の推進などが議論され推進されてきています。丹波地域では、過去20年以上にわたって、地域住民が主体になって「丹波の森」のテーマのもと、先導的に産業おこし、ツーリズム、演劇、音楽、地域づくり、集落活性化、森づくり、都市との交流などが推進され、多くの実績が蓄積されています。今後は、中堅・若者による丹波にふさわしい新たな職種での起業が活性化し、多様な試みがなされることを期待します。そのためには、行政の役割、既存団体・地域組織の役割などが大切になってきます。新たな起業を促進し、成長させるための協働が求められますし、各々の組織の進化そのものも必要です。兵庫丹波の森協会の新たな出番ともいえるのではないでしょうか。

地域創生の担い手

丹波ＯＢ大学卒業生が、地域創生などで活躍することを期待した原稿です（丹波ＯＢ大学報告書　はじめに　２０１５年10月）。

昨今、しみじみと感じるのですが、いつまでも若いと思っていましたが、いつの間にか、皆様の仲間入りをさせて頂く年になっていました。思い返しますと、研究、教育、実践と、常に気を張っていた時期と較べますと、多くの物事がおおらかに良く見えるようになってきた気がします。これはＯＢ大の皆様も感じておられるのではないでしょうか？

とはいえ、２０１５年の10月はじめに大筋合意が得られたと報道されたＴＰＰに関して、高齢化の急激な進行や放棄田、空屋・空地等が多く見られる多自然居住地域の産業や社会はどうなっていくのか不安が募るばかりです。

このような中、わが国では地方創生、兵庫県では地域創生の議論が進み、実践に移されつつあります。何故、兵庫県では「地域創生なのか？」ですが、中央に対する地方という概念ではなく、各の地域は同等であるという意味で使われているのでしょう。兵庫県での、地域創生に対する意気込みが感じられるところですし、大いに期待したいものです。

地方創生、地域創生に関して、兵庫県、三田市、さらには滋賀県東近江市などから呼んで頂いて議論をしています。その中で、地域創生を担う意思ある人材や組織が重要であると感じています。まさにＯＢ大卒業生の皆様の出番といえるのではないでしょうか？

地域創生を考える上で、私なりに重要であると思う「地域理解」と「公園・広場」について考えていることを紹介します。

地域理解に関して、森公苑の広報誌に、地域を理解するための人材・方法が、地域創生には必要不可欠であるという主旨のことを書いたことがあります。人材に関しては、地域に密着して活動している森研究所の研究員、あるは地域紙である丹波新聞の記者の皆様のような方々がおられると思います。これらの方々が地域での活動を通して方法を開発されているといえます。

公園・広場に関して、子育て環境のさらなる整備が必要であると思っています。特に、ハイハイ歩きを始めた乳児などが自由に遊べる空間整備です。乳児などの子育て支援、子育て環境の整備は、子どもたちのみならず保護者の交流にも寄与するものと思います。公園内で、ハイハイサークル、芝広場などの乳児向けコーナーが整備され、自由に動き回っている姿を早くみたいものです。

このようなことは、行政だけで実施することはできないでしょう。限られた数の人材だけでできることではありません。地域に住み続け、地域理解の実践者として、子育て経験の豊富な経験者としてのＯＢ大生皆様の出番であることは言うまでもありません。

学生力で地域が変わる

滋賀県立大学が推進している学生の地域密着型の活動である近江楽座を、書評として、造園学会誌に書いた内容です。原文が「だ・である」調でした（書評：ランドスケープ研究　２０１０年7月）。

『近江楽座のススメ―学生力で地域が変わる―4年間の軌跡―』。本書には、滋賀県立大学のコンセプト「人が自分で育つ大学」で、学生たちが実践してきた活動の足取りが学生の目線を通して生き生きとまとめられている。古民家再生、限界集落、福祉・医療、環境学習……など、これからの日本で非常に重要なテーマ群に、学生たちが向き合ってきた様子が、地域での多くのエピソードとともにリアルに表現されている。プロジェクトでは、「自主性を失わず、楽しみながら」行動しつつも、プロジェクトが完成に近付くと、地域の自立のために「地域からの去り方」に悩んだり、プロジェクトの横つなぎ役としての「近江楽座学生委員会」を設立するなど、学生たちの自主的な活動を通じた創意工夫が随所にみられる。本書を講義で紹介すると、ぜひ読みたいという学生（渕田早穂子）がいて、次のような感想が届いた。

「学生力」、それを信じ、引き出すために作られた「近江楽座」。学生である私は、社会人未満＝半一人前という概念が染みついていました。けれど、この本に出てくる学生も半一人前であると思ったら大間違い。私にはない、行動力と積極性を持っていました。彼らは地域のために動きだし、地域が一緒に動きだし、いつの間にか地域に溶け込み、信頼され頼られている。彼らも最初は半一人前で、だからこそ、知識のある先生方や地域の方々に教わり、助けてもらう。そういうプロセスを踏みながら、プロジェクトがひと段落するころには一人前になっている。12コのプロジェクトを読みながら、彼らの一人前になる過程を見ているようでした。（中略）

学生ならではの熱い思いや自由な発想。それを生かすことのできる行動力。私も、無性に動きだしたくなった。

このように、本書は、豊かな実例を通して、これからの地域づくりの実践を提案している書であるとともに、地域づくりを志す多くの若者に新鮮な刺激を与える書であるともいえる。

この後、ふとしたご縁から、滋賀県議会の研究会で講演したり、広域合併後の長浜市、東近江市など、滋賀県下のまちづくり、地域活性化に、関わる機会を何回か頂いた。

Ⅱ　マネジメントの風景

マネジメントの風景
―考え、実践するきっかけになった3つの出来事―

兵庫県に転職し退職するまでの25年間に、公園、博物館、地域などのマネジメント（運営、経営など）について考え、実践する「きっかけ」が3回ありました。それらは、①阪神・淡路大震災後の市民活動の推進、②兵庫県立有馬富士公園のマネジメント計画の策定と実践、③兵庫県立人と自然の博物館の新展開の策定と実践でした。

一番目は、ボランティア活動として、後の二つは、仕事として関わりました。それぞれ状況、場面、時期は相当に異なりますが、マネジメントを展開する3つの機会に遭遇できたことを、懐かしく、かつ意義深く思っています。これらに加えて、（社）日本造園学会長に就任した際、学会の経営体質などの立て直しで苦労したことがありました。そのころの状況を書き綴った原稿も、このII章で紹介しています。

阪神・淡路大震災後、ひとはくボランティアが仮設住宅でミニサラダ畑を造成、宝塚市

一番目の出来事です。１９９５年（平成7年）に発生した阪神・淡路大震災の後、市民活動・組織として、緑からの復旧・復興を支援した際のことです。被災直後は、関西地域のランドスケープの専門家や学生たちと共に、被災地の状況や、公園・緑などが防災に果した役割

などを調査し、行政にデータを提供し、復興のアイデアを提言するなどの活動をしていました。その後、県、市町などの復旧・復興計画の策定にも協力していました。これと同時並行的に、緑からの復旧・復興を支援しようとする動きが、被災地各所で、自然に発生していました。「ガレキに花を」「ドングリネット神戸」「グリーンマントの会」…等と共に、ひとはく環境計画研究部でも、宝塚市にある仮設住宅への支援活動として「ミニクラインガルテン造り」を始めていました。誰が言うともなく、これらの活動がネットワークを形成するようになり、いわゆる協働が始まったのです。ランドスケープ復興支援会議（略称、阪神グリーンネット）の誕生でした。外部資金として、行政や民間からの活動資金を集めて活発に活動していました。震災の年、この年のことを、ボランティア元年と称されていますが、ランドスケープ分野での支援活動元年ともいえます。これらの活動が活性化し、被災地の神戸をフィールドにして、全国トンボ市民サミットを誘致・開催するなど、大きな市民活動として、神戸のみならず広範な地域に広がっていきました。市民活動としての、マネジメントのうねりが産声をあげた時期だったのです。

この頃、震災後に兵庫県が設置した（財）阪神・淡路大震災記念協会で、都市域や多自然居住地域での「コミュニティ形成」や「マネジメント」に関する調査研究の場をいただきました。今、私たちが議論しているコミュニティデザインや空間マネジメントの基礎づくりができた時期でした。成果物として、「大都市における住民主体の環境形成調査」（国土庁・兵庫県、

東日本大震災被災地の子どもたちの支援に、ひとはくキャラバンで仙台市の児童館へ出かけました、仙台市

平成11年）、「大都市におけるまちづくりの主体となるコミュニティ形成調査」（(財）阪神・淡路大震災記念協会、平成12年）、「緑空間のマネジメント」（(財）阪神・淡路大震災記念協会、平成16年）などがあります。

二番目の出来事です。兵庫県三田市に、広域都市公園である県立有馬富士公園があります。都市郊外の丘陵地に造成された、これといった特徴のない一般的な広大な公園です。筆者が、まだ大府大助教授の頃、この公園の基本構想策定委員会に参加していました。その頃は、バブル最盛期、世界中のはなやかな花園や花木の森を創造し、ハイキング、ピクニックなどで、人々が世界の花や緑を謳歌できる公園、そのようなバラ色の絵が描かれていました。バブルが崩壊した後、ひとはくの環境計画研究部長に着任していた頃のことでした。兵庫県の公園緑地の担当者（大府大の後輩）から、有馬富士公園のあり方についての相談がありました。かつてのバラ色の絵から、自然生態や生きものを重視した方向で、自然風、里山風の公園として、公園の計画範囲を縮小し、基本計画を見直すことを議論していました。この結果、今のような公園になったのですが、他の公園と比較しても、これといった大きな特徴はありませんでした。そこで関係者の皆さんと協議して、辿り着いた結果が、マネジメントを重視した公園でした。偶然なことに、人と自然の博物館には、ランドスケープに加えて、まちづくり・運営に関わる専

ため池の対岸の棚田内に茅葺民家を新築（写真中央左寄り）兵庫県立有馬富士公園、三田市

門家が在籍していました。外部からの専門家を招いて、公園のマネジメント計画を策定する研究会を数回にわたって開催したのです。その結果が、行政、市民などが、お互いにフラットな立場で参画する有馬富士公園の、運営・計画協議会の発足に繋がりました。これらが、現行の指定管理者に引き継がれ現在に至っています。詳しくは、「有馬富士公園運営計画策定業務報告書」（兵庫県北摂整備局、（社）日本造園学会、平成12年）を参照ください。

兵庫県立人と自然の博物館、ニュータウン内の深田池公園に設置されました、三田市

展示の一部、人と自然の博物館、三田市

三番目の出来事は、人と自然の博物館、ひとはくの新展開です。私たちが関わる以前に策定されていた博物館の基本構想には、年間40万人の来館者があると記載されていました。今から考えると、入館者予測の数は、何の根拠もない数字だったと思います。構想計画の策定に関わったコンサルタンツの方々が、何らかの方式で積み上げたものでしょう。いざ開館してみると、年間10数万人程度の来館者数で低迷していました。博物館や組織運営に関して、全く素人の研究者が集められ、何らの予備学習もなく、運営するのですから、基本的に無理なことであったと思います。

1992年（平成4年）に開館して10年程経過した頃のことでした。相変わらず「研究が重要！ 基盤！」と主張し、〝蛸壺〟から殆ど出てこない研究者たちと、博物館を運営していた頃のことでした。突然、設置者の知事から「博物館は何をしているのだ？ 入館者を増やす努力はしているのか？ 役立たない研究部は閉鎖しては？」云々の、強烈な叱咤激励をいただいてしまったのです。これを逆にチャンスととらえて、博物館の新展開なる動きが始まりました。一年間を通じて、ほぼ毎金曜日の夕方に、銀行、テーマパーク、広告会社、イベント会社、新聞社、行政、大学運営、会社経営…など、マネジメントに関わる第一線の方々を招聘して、ひとはく全員（研究職、事務職など）に対するマネジメントの講演会を開催しました。加えて、参考になる事例を紹介して頂きました。講演会の後は、私的な交流の場を設けるなどして、講師の皆様方の知識や経験を、博物館側の参加者が貪欲に吸収していました。学生や大学院生たちが、あるきっかけで、突然に成長する場面を時々見てきましたが、まさにそのことが博物館の現場で起こっているのだと実感しました。昆虫の専門家・八木剛氏は、マネジメントに関し

伊丹の酒蔵で自然系の展示、人と自然の博物館など、伊丹市

京都のお寺で自然系の展示、人と自然の博物館共催、京都市

て「目から鱗！」とまでいってくれました。ひとはくの新展開、新たなマネジメントが始まった瞬間でした。その後、新展開を積極的に推進するために、非常勤の館長を補佐する副館長のポストが設置されました。筆者が、その職に就いたのですが、口の悪い研究員からは、「走りながら考えろという副館長」と、素晴らしいエールをいただいておりました。この頃、五里霧中の中を、一緒に試行錯誤しながらマネジメントに励んだ研究員の方々が、今では、ひとはくを牽引する主要な立場になって、博物館経営の現場で大活躍されています。

「私が、何故、パークマネジメントに立ち至ったのか」「造園から博物館の専門に移動して思ったこと」などについて、積算資料　公表価格版（２０１７年８月）の寄稿「パークマネジメントの展開と公園の新しい価値」として、まとめる絶好の機会をいただきました。この原稿を最初にして、II章では、公園、博物館、市民活動など、これらの各場面での出来事やエピソードなどに関わる原稿を通してマネジメントの風景を展開していきます。

丹波の森（２０１３年６月）に、「メタボリズムの美学」として次のような原稿を書いています。マネジメントの参考になるかと思いますので付加します。

「メタボリズムの美学」

新しい年度が始まり2カ月程が過ぎ去ろうとしています。皆様方、各の場所で、新たな取り組みに着手されておられるものと存じます。

私事で恐縮ですが、42年間にわたる教育公務員の職を本年3月末で定年退職致しました。勤務の前半は、大学院を修了して直ぐに助手に採用して頂き、講師、助教授と、日本の高度経済成長と共に、教育・研究に没頭していた感があります。勤務期間の後半は、成熟社会の中、大学と博物館を兼務する形で、生涯学習、環境学習、社会教育などに携わる機会を得ると共に、多自然居住、生物多様性、公園マネジメント等の研究や世紀の恐竜の発見にも居合わせることができました。思い返してみますと、瞬時に過ぎ去った大変有意義な期間であったと感謝しています。

いざ定年となると寂しいものかなと思っていましたが、現実には、定年とは素晴らしい仕組みであるとしみじみと感じた次第です。退職をした組織では、人材が新陳代謝することによって、人材と組織そのものに新たな成長、発展が生じるものと確信しています。また、退職した本人にとっても、新たな社会での再出発ということで、さらなる新たな進展が期待できるでしょう。定年とは、まさに、社会を、人生を円滑に循環させる仕組みであると認識しました。

かつて、著名な建築家である黒川紀章氏たちが、日本や世界の都市や建築のあり方について議論した『メタボリズム（新陳代謝）の美学』という本がありました。この本を想い出しながら、この数年の間に、建築や都市だけではなくて、人材のメタボリズムが大幅に進行していたものと感じています。それは、いわゆる団塊の世代が大量に第一線から退職したからです。この世代の第二の人生に大いに期待したいものです。組織に残っている方々、退職した方々、相互に刺激し合いながら、新たな成熟した社会を形成する絶好の機会であると思います。

丹波では、退職を機に、故郷に戻ってもう一働き、第二の人生をという方々も多くおられるのではないでしょうか。これまで丹波で活躍、活動されてきた方々と共に、新しい発想や息吹を吹き込んで頂きたいものです。

震災から学ぶ

阪神・淡路大震災直後から、各々の現場や組織で、現地調査や被災者支援の活動が始まっていました。日本造園学会では、関西の造園関係の大学研究室、博物館、コンサルタンツの方々と一緒になって、この大震災の調査特別委員会を構成し、震災後、約2カ月で、被災10市1町の公園や緑の状況を調査しました。この調査内容を、参加者で議論してまとめた復興への提言と共に、兵庫県、神戸市をはじめ関係市町へ提供したところです。同時に、被災した各々の場所で、各種のボランティアたちが、まちづくり、公園や緑づくりの支援を開始していました。まだ、ネットワークが形成には及んでいませんでした。この頃、私たちは、行政の復興計画の策定支援などにも参加していました。

緑のボランティア活動は、震災1年後から、ランドスケープ復興支援会議、通称は阪神グリーンネットとして、組織的な市民活動へと徐々に進化しました。その後、阪神グリーンネットの活動は、新潟、東日本、熊本などへと継続しています。この活動は、今も緩やかなネットワークとして各参加者間で共有されています。グリーンネットとしての活動の詳細は、『みどりのコミュニティデザイン』（学芸出版社、平成14年）で紹介しています。また、このような私たちの活動を、ネットワークとして、まとめる役割を果たしてくれたのが、（株）コー・プランの小林郁雄さん、天川佳美さんたちでした。ここにお名前を記してお礼を申し上げます。

緑は震災に強かった ―非常時の緑―

朝日植物百科に掲載した阪神・淡路大震災時の緑についての原稿です（朝日植物百科　世界の植物１２０　まちと緑　２０１０年3月）。

　１９９５年1月17日未明に発生した都市直下型の阪神・淡路大震災は、未曾有の人的、物的な被害をもたらしました。ピーク時には20万人を超える市民が避難所で暮らし、被災から1年以上を経ても多くの人びとが仮説住宅などで不自由な生活を強いられています。ここでは被災2～3週間後に、神戸市、芦屋市、西宮市などで現地調査した結果に基づいて、「緑の被害」と「緑の効果」について述べます。そして、この震災での教訓を踏まえて、近代都市の非常時の緑のあり方について問い直してみます。

緑の被害

　大震災による樹木や植え込みなどの被害は、一般に「安定した大地にしっかりと根をおろした健全な樹木は倒れなかった」といえます。多くの場合、樹木そのものよりも、むしろ地盤の不安定化や、建物の倒壊、火災などの他の要因によって、樹木などの緑に被害が発生したのです。緑の被害を、おおまかに整理しますと、次のような5項目になります。

①樹木そのものが原因の場合で、腐朽による樹幹の空洞化などによって倒れた樹木。しかし、このケース

は少なく、暴風などで淘汰されていた結果とも推測できます。②植栽枡など、植栽基盤の崩壊による緑の被害は、多々見られました。ブロックづくりの植栽枡や石積みの崩壊が緑を倒してしまう結果になったのです。③造成地、埋め立て地などで、地震による土地基盤の変動や不安定化は、緑に被害を与えました。なお、液状化現象による緑への被害は調査が続行中です。④建物や高架構造物の倒壊に伴い、街路樹などの緑が下敷きになりました。⑤地震直後に発生した火災による炎や熱によって、緑が焼けたり、枝葉が褐色に変化した場合があります。以上の被害を整理しますと、植栽の基礎がしっかりしていれば、樹木などの緑は倒れにくい、つまり被害を受けにくいといえるでしょう。

緑の効果

「緑の被害」で述べたことの多くは、裏を返せば、緑が、私たちの被害を軽減する「緑の効果」と捉えることができるでしょう。公園や緑の空間は、救助、救援、避難、復旧の場として大いに機能しましたが、ここでは震災時および直後に果たした緑の効果を、次の4項目に整理してみました。

木造家屋の２階部分を支えた街路樹、神戸市

①樹木などの根系が、斜面や植栽基盤の崩壊を防止しました。根系が土壌を堅く縛りとめる効果を発揮したのです。また地上部では、ツタなどのつる植物が、壁やブロック塀の倒壊を防止した例もありました。②街路樹

が、木造家屋の倒壊を支え、路上への倒出を防止した例が32件確認されました。これは建物の全面倒壊を防ぎ、前面の道路の交通確保にもつながっています。また、庭の樹木が全面倒壊寸前の民家を支えた例もありました。このように樹木は、木造家屋や塀などの倒壊を防いだのです。③建物の周りの小さい緑の空間が、ガラス、タイル、看板などを柔らかく受け止めるクッションの役割を果たした事例も確認できています。④樹木などの緑は、街路や公園と一体となって、火災の延焼を止める効果をもたらしました。枝葉は褐変しましたが、樹木に蓄えられた水分が防火機能を担ったといえます。このような例は、公園内に列植された樹木、公園外周部のフェンスに巻きついたヘデラ（ウコギ科キヅタ属）、民家の庭木や生け垣などで見られます。健全な緑が存在すること、つまり健全な樹木が生育していることは、震災で緑が被害を受けても、人間にとっては安全や防災の効果をもっているのです。ふだんは、心をなごませ非常時には危機から守ってくれる緑を、教訓として今後の街づくりに生かすべきであると強く感じました。

今まで物理的な意味での緑の被害や効果について述べましたが、緑は心理的な意味でも安全や安心を感じる重要な要素です。公園の大木の下に避難することで、安心できたという人もおられました。

震災後には、瓦礫の撤去跡地への草花の植えつけ、仮説住宅地の畑での野菜づくり、住宅を再建する人びとへの庭や植栽枡の作り方などを記した緑のガイドブック配布など、被災した人びとに対する緑を通じた応援も始まっています。

火災の焼け止まり、大国公園、神戸市

阪神・淡路大震災に際しての環境計画研究部の活動

阪神・淡路大震災後、各種の調査や被災者支援活動が始まりました。本稿では、人と自然の博物館環境計画研究部の活動を要約しています（２０１２年６月）。

阪神・淡路大震災は、大都市域を中心に未曾有の人的・物的被害を発生させました。人と自然の博物館環境計画研究部のスタッフは、震災直後から、①震災後緊急調査や提言活動、②被災者支援活動とそのネットワーク化などに参画してきました。

〔調査関係〕

震災後、公園や緑の「被害」や「果たした役割」を把握し、復旧・復興計画に資するための緊急調査が、（社）日本造園学会のもとで、緑関係の研究部門がある関西の大学やコンサルタント事務所が協力して実施されました。それらは、『公園緑地等に関する阪神大震災緊急調査報告書』（（社）日本造園学会阪神大震災調査特別委員会、１９９５年６月）としてまとめられています。これらに基づいて、兵庫県や神戸市などへ「行政への緊急提言」などがなされました。この際、環境計画研究部のスタッフは調査の一員として、そして、調査の事務局員的な役割を大いに果たしました。さらに、阪神・淡路震災復興計画（兵庫県、１９９５年７月）などの策定に委員として参加もしました。以降、被災各地域のまちづくり協議会へ参加するとともに、景観復興マスタープランの策定や、復興10年総括検証・提言報告（復興10年委員会、２００６年９月）の作成などに協力してきました。

（支援活動）

調査活動がまとまったころから、環境計画研究部では、仮設住宅の居住者を支援すべく「ミニクラインガルテン」と称して、野菜畑づくりの活動を、研究部スタッフ、学生などとともに開始しました。この時期に、被災地のみならず多くの地域で、まちづくりや地域づくりが実践され、例えば、「ガレキに花を」「ドングリネット神戸」「グリーンマントの会」や各種支援組織によって、市民・行政との協働のまちづくりが推進されだしました。その過程で、花やみどりが、さわやかな気持ちを、被災者、被災地に与えてくれたことなどがわかってきました。まちの復興と、心の復興が、花やみどりを媒介にして進められたのです。被災1年後、愛知県等の花卉生産業者などから贈られた花苗を、人と自然の博物館横の空き地に集積して、被災者の皆様に配布した光景は忘れられません。これらの組織が、緩やかなネットワーク組織としてまとまったのが「阪神グリーンネット」でした。この組織形成に関しても、組織運営に関しても、環境計画研究部は事務局的な役割を果たしていました。これらの市民活動をまとめた『みどりのコミュニティデザイン』（学芸出版社、２００２年11月）の刊行にも貢献しています。

震災から3年余が経過した１９９８年5月に、元気な神戸を全国に発信するイベントとして「第９回全国トンボ市民サミット神戸大会」が開催されました。この企画から運営にわたっては、神戸内外の市民活動団体の方々とともに、環境計画研究部のみならず、人と自然の博物館員や関係職員が大いに貢献しました。このイベントは、記録集『人・まち・トンボ』（第９回全国トンボ市民サミット神戸大会実行委員会、１９９９年3月）としてまとめられています。

阪神・淡路大震災後の市民参加の展開

阪神・淡路大震災後の、造園界の動向を緊急調査、市民組織の発生から展開までを整理しました（ランドスケープ研究　関西支部50周年記念論文集　２０１７年）。

平成23年9月頃、市民組織である住吉川流域連絡協議会の方からセミナーの講師依頼がありました。内容は、「これまでは、特定の生きものや自然再生に特化した講演を頂いてきたが、今回は市民活動、自然再生、まちづくりなどについて総合的な視点から話題提供願いたい」との趣旨でした。後日、当流域協議会のホームページをみると「8月26日（水）午前、委員会が開催された。11月に開催されるセミナーの相談、いよいよ、森川海のまとめの時期にあるので、そのような話のできる講師が望ましい」との記述を見いだしました。市民活動が成熟し、生きものや自然再生などに関わる個別課題から、まちづくりなどの総合的な方向へと活動領域を拡大し、地域全体のマネジメントを意図しているものと感慨ひとしおでした。本論のテーマ「阪神・淡路大震災後の市民参加の展開」を論じるのに相応しいと思い紹介した次第です。

（1）緑の緊急調査

i）緊急調査ワーキングの活動

震災直後に、関西の大学やコンサルタンツ関係者が中心になって（社）日本造園学会内に調査特別委員会を設置して、緑に関わる緊急調査を開始したのですが、防災に関わる緑関係の専門家の存在そのものが少ないことが課題でした。このことは、今もって解決されていないと思います。

都市計画や建築などの関係学会、ＮＰＯ、市民、行政などとの協力・連携のもと調査が進み、兵庫県、神戸市などの関係諸機関に提言すると共に、『公園緑地等に関する阪神大震災緊急調査報告書』が2カ月後にまとまりました。緊急調査の概要は、緑の被害実態、利用実態、これらに基づいた各行政の復興計画への提言でした。

ii）緑と復興計画

関東大震災以来、公園緑地は地震や大火から逃げる場としての広域避難地と位置づけられていました。しかし、緊急調査の結果、公園緑地は①避難地、②救援・復興の場、③避難、救援・復興の複合利用、④仮説住宅地、⑤ゴミの集積所及び自動車などの一時保管所、⑥一時避難などの低密度利用などとして利用されていました。これらのことから、公園緑地は緊急時には頼りになるオープンスペースとして活用されたことが確認できました。防災拠点という概念が見いだされたのです。

緊急調査に参加したメンバーの有志が集まって、「公園からの復興を！ 安心できる都市に向けて（調査特別委員会からの私案）」と題する行政への提言がまとめられました（図1）。この中では、①生活者中心への配慮、②自然や地形など地域性への配慮、③都市公園などの営造物公園や自然公園などの地域制公園を包含した緑の構造化、さらには④地域主権の考えを盛り込んだ「やわらかい公園」づくりなどが盛り込まれています。まさに、阪神・淡路大震災後の市民参加の芽生えがここにみられます。

（2）緑系の市民組織の展開

震災から約1年が経過した頃から、市民、団体、NPOが協働して、緑の復旧・復興などの目的を共有した市民活動が活発になりました。「時間の経過と共に推移し、成長した市民・NPOなどによる諸活動」について述べます。

i）独自活動の展開

震災以前から、ビオトープづくり、エコアップ研究会、トンボ研究会など、緑や自然環境に関わる組織が各地域で活動を展開していました。震災後、1年余が経過したことから、ガレキに花を、グリーンマントの会、ドングリネット神戸、ひとはく（兵庫県立人と自然の博物館）活動グループなどの新組織が、各地域で個別の目的を有して、復旧・復興を意図して活動をはじめ、それらの情報が、非公式、属人的に活動組織相互間に共有されるようになりました。

ii）阪神グリーンネットの誕生

大震災から1年余が経過した頃、誰が提案したものでもなく、自然発生的に「情報、技術、資金・資材・人材の共有」を意図した緩やかなネットワークとして「阪神グリーンネット」（当初はランドスケープ復興支援会議）が発足しました。「ガ

公園からの復興を！　安心できる都市に向けて
調査特別委員会実行委員会からの試案：全員ボランティアでした。

1 人が育むまちへ
2 自然に学ぶまちへ
3 公園の中に住める街をめざして
4 安心できる緑の構造化をめざして
（1）点から系の防災を
（2）阪神間の水系、地形をベースとしたやわらかい緑地帯を
（3）営造物公園と地域制公園の連携による緑の構造化を
5 やわらかい公園をめざして
（1）公園のマニュアル化を避けよう
（2）地域にあった多様化を
（3）バリアフリーのオープンスペースへ
（4）公園から都市個性の再生へ

図1　行政への提言

レキに花を」の活動を例に、その展開を紹介します。当初は、専門家の知恵を借りながら、独自の工夫でガレキ地に草花の種をまいていました。次いで、愛知、沖縄、石川など全国各地からの支援を受け、被災地への花苗配布へと展開しました。さらに、被災地への移動生垣の設置、公園ワークショップの企画・運営、未利用地を駅前花苑へと造成、復興住宅での段々畑造成支援、被災地全域での緑化活動支援などへと拡大しました。この動向は、被災地の復旧・復興を意識した全国トンボ市民サミットの神戸市での開催などへと継続しました。その数年後から、阪神グリーンネットの活動は穏やかとなっていきました。

iii）いつでも活動できる組織

再び、各組織は連絡を取り合いつつ独自で、当初のように各地域でＮＰＯなどとして活動を継続中ですが、いつでも集合し活動する体制は維持しています。その後、新潟県中越地震への花・緑を通じた支援に加えて、一部メンバーはニューヨークまででかけています。東日本大震災や熊本地震などの被災地には、まちづくり、産業などに関わるメンバーの多くが、復旧・復興に貢献しようと活動を継続しています。

（3）まちづくり系市民参加の展開、グリーンクラスター

都市空間やみどり空間において、「造る」から「使う」、「ハード」から「ソフト」への転換が震災後、急速に進展してきました。さらに、供用後のみどり空間を上手に使う、みどり空間の「マネジメント」に関わる多様な主体が活動をはじめました。

i）阪神・淡路大震災から学んだこと

阪神・淡路大震災の経験から、「みどりのコミュニティデザイン」に関して、多くのことを学びました。

注目すべきことは、震災直後、避難場所として被災者に有効に使われた空間が、学校の校庭等と共に、日常的に住民によく使われていたみどりのある公園や緑地であったことです。日常的に良好にマネジメントされていた学校の校庭や公園は、非常時にも住民に有効に活用されたのです。その後の震災関連のヒヤリング調査で、公園等の避難場所で自治的な組織や仕組みができ、リーダーシップを発揮してまとめた人材がいたことが報告されています。このことは、「震災後の住民参加」や「みどり空間のマネジメント」について、貴重な示唆になりました。

ii）グリーンクラスター

市民組織の活動として、窓辺の緑化、生垣の整備、庭づくり、草花や樹木の配布や植栽、公園の緑化や整備への参加等から、都市近郊の田園や里山林整備への協力等が見られます。これらにともなって、花やみどりの活動の場が多様化し拡大してきています。

市民の様々な活動を推進する市民組織には多様な形態が考えられます。従来から都市緑化を積極的に推進してきた「地域型市民活動組織」である自治会・婦人会・老人会や、さまざまな活動テーマを有した「クラブ」、さらに特に震災後に組織化されつつある「テーマ型市民活動組織」である狭義のボランティアやコミュニティビジネス的な組織も考えられます。

iii）進化する市民組織

かつての市民運動は、自治会や婦人会等の地域密着型の団体が主となった地域の自治活動的な運動と、行政や企業と対立する、いわゆる反対運動が主であったといえます。しかし、このパターンが大きく変化し始めていました。兵庫県下や神戸・阪神間では、阪神・淡路大震災を契機にして様相は大きく変化しました。

既存の市民組織である自治会､婦人会等に加えて､新たな市民組織としてNPO･NGO､ボランティアグループ、専門家、コミュニティビジネス的な組織が出現し、各々が単独に、あるいは協働して、活動も活性化しつつあります。市民、企業、行政等が相互に対立していた運動から協調する運動へと変わりつつあるのです。しかし、復旧・復興の初期段階では、前記の既存組織と新組織が、対立構造になる場合も見られました。既存組織と新組織が「分離」の状況にあったのです。しかし、徐々にその構造に変化が見られ、「分離」から相互に部分的に協力し合う「重複」、そして、行政との良好な関係を維持しながら全面的に協力し合い、相互に「内包」し合う形になりつつあるケースも見られました。市民組織そのものが成長し、進化しつつあるといえます。この動向は、市民や市民組織と行政との「参画と協働」の用語に示されるように、まちづくり、コミュニティづくり等における市民組織や市民の活動をさらに活性化するものです。

阪神・淡路大震災から20年以上が経過しましたが、その間に、兵庫県下の復旧・復興を全面的に指導実践されたことに加えて、震災を国難であると位置づけ、復旧・復興への考え方を広く普及された貝原俊民前兵庫県知事がご逝去されました。私たちの仲間で、日本造園学会の調査特別委員長であった清水正之先生、移動生垣づくりなどを市民と共に推進した桑原章氏もご逝去されました。ここに記して、これまでのご功績にお礼を申し上げるとともに、ご冥福をお祈り申し上げる次第です。

参考文献：（社）日本造園学会阪神大震災調査特別委員会（１９９５年）『公園緑地等に関する阪神大震災緊急調査報告書』

身近なみどりの防災効果

みどりの防災効果について、阪神・淡路大震災の経験を述べ、身近な公園の可能性について述べています（公園緑地原稿　２０１７年6月）。

阪神・淡路大震災後、ランドスケープに関わるコンサルタンツ、大学・博物館の教職員、学生、市民などが、公園やみどりの効果・効用などについて、地域を分担して調査しました。その際、全壊した住宅の庭で、花芽を付けたモクレンの枝に、被災者からのメッセージが、さりげなく吊り下げられていました。「この木を残してやってください！」と書かれていました。他に、一階が崩壊し、前の道路に倒壊する寸前の二階部分を支えている街路樹にも遭遇しました。これらのみどりから、調査者が元気づけられたように思います。フェンスに巻きついたヘデラ、街路樹、公園などが焼け止まり線を形成していた現場もありました。街路樹の樹幹部が、火災で無残に焼け焦げた現場もありました。当日の早朝、身近な公園に人々が集まり、暖を取りながら励ましあったと思われるたき火の痕跡も多くありました。これらのことは、「緑は震災に強かった」「緑の防災効果」などとして、各種原稿で報告したところです。詳細は、（社）日本造園学会阪神大震災調査特別委員会（１９９５年）『公園緑地等に関する阪神大震災緊急調査報告書』を参照してください。

それらの中で、身近なみどりの役割を次のように記しています。「…阪神・淡路大震災の経験から、多くのことを学びました。注目すべきことは、震災直後、避難場所として、被災者に有効に使われた空間が、学校の校庭等と共に、日常的に住民によく使われていた公園や緑地でした。(人々によって) 良好にマネジメントされていた学校の校庭や公園は、非常時にも住民に有効に活用されました。その後の震災関連のヒヤリング調査で、公園等の避難場所で自治的な組織や仕組みができ、リーダーシップを発揮して、人々をまとめた人材がいたことを聞き出しています。このことは、住民参加や公園やみどり空間のマネジメントについての貴重な示唆といえます。…」などです。フィジカルな側面でも、身近な公園やみどりは、避難場所、救援・救護の場、焼け止まりの空間、物資置き場などとして多いに機能したことも確認しました。

当時、ボランティア元年といわれましたが、市民組織について、次のように記述しています。「…この震災を契機にして、市民運動の様相は大きく変化しました。既存の市民組織である自治会、婦人会等に加えて、新たな市民組織としてNPO・NGO、ボランティアグループ、専門家、コミュニティビジネス的な組織が出現し、各々が単独に、あるいは協働して活動が活性化してきました。…」などです。

身近なみどりが防災効果を発揮するには、「日常的によく使われていること」と「リーダーシップを発揮できる人材が存在すること」が重要です。この人材として、自治会長さんらに加えて、子どもたちの野球やサッカーのコーチなどもおられました。学校の校庭が有効に使われたのは、理科室やプールがあったこと、加えて先生方や事務職員がおられたことがその理由でしょう。

この原稿を書きながら、数年前に滞在したマサチューセッツ州ブルックライン市の公園配置を思い出しました。このまちでも、学校と公園、住宅地と公園、教会と公園が隣接して配置されていました。公園と他の施設との連携が上手に取れていたと思います。このことで、人々によって公園がよりよく使われているのでしょう。かつて、わが国でも、学校公園などの議論を進めていたことを記憶しています。

この2年間、「神戸の未来を創造する身近な公園のあり方について」（答申書、平成29年5月）を議論する機会がありました。施策の展開は、①「新たな時代を見すえた公園計画」、②「地域の状況に応じた公園配置」、③「市民に愛される公園の機能」、④「公園のマネジメント」の4本柱で構成されています。①の身近な公園のあり方では、防災公園として「公園は、地震発生時に周辺地区からの避難者を収容し、市街地火災等から避難者の生命を保護する避難場所として、集中豪雨発生時に雨水流出抑制による浸水被害を防止・軽減させる施設等として重要な役割を担っている。…」との認識の上で、震災後に整備された防災公園を再評価しています。加えて、先進的に取り組んだ公園の施策例として、小学校との一体整備、歴史的建造物との一体整備なども評価しています。④のマネジメントでは「まちづくりと一体となって公園を地域でマネジメントする」ことを重視しています。

日常的によく使われる公園やみどりが、非常時に役立ったことを述べました。身近なみどりの防災効果を発揮するために、新たな機能を備えた緑空間の整備と創造が望まれます。例えば、本格的な少子高齢社会の今、子育て中の保護者や乳幼児が自由に遊べるため、そして高齢者がゆっくりと憩えるためなどに特化した公園整備は重要でしょう。身近なみどりで、利用者層の多様化への配慮は防災上でも重要です。

公園から学ぶ

積算資料　公表価格版（2017年8月）という雑誌で、「パークマネジメントの展開と公園の新しい価値」のタイトルで、原稿の執筆依頼がありました。この文章の中に、マネジメントの風景―公園から学ぶ―の全体像を紹介しています。

ここでは、パークマネジメントや指定管理者制度に関わるグループ、筆者が関わってきた兵庫県立の都市公園のマネジメントに関わるグループ、そして、庭と公園の文化などに、原稿を割り振って紹介しています。

パークマネジメントの展開と公園の新しい価値

ランドスケープと博物館

ランドスケープの研究・教育の現場から博物館の準備室に転任した１９９０年（平成2年）頃、ランドスケープと博物館、この両者は全くの異業種であると割り切っていました。当時、博物館の設立準備に追われて、両者を併せて考える余裕はありませんでした。偶然、博物館の建物や展示などの整備とともに、マネジメント組織の構築まで任せていただいたことが、その後のパークマネジメントの実践に役立つことになりました。結果的には、ランドスケープと博物館との融合がタイトルにある「パークマネジメントの展開と公園の新しい価値」に繋がったのです。最近では、博物館は屋根のある公園、遊園地であると公言している次第です。公園・緑地や博物館は、遊びや学びの場ですが、「博物館には、来館者に対応する人材、つまり学芸員が存在するのに、公園にはなぜ存在しないのか?」との疑問が、パークマネジメントを積極的に考え、実践する契機になりました。今では、先進的な博物館・科学館には、来館者に展示などを紹介する科学コミュニケーター（Science Communicator）と称する職能の人材が配置されています。

Ⅰ　パークマネジメントへの助走

(1) ボランティアことはじめ

１９９４年（平成6年）、博物館で活動するボランティアを養成する試みが、文科省の事業として展開されました。人と自然の博物館（ひとはく）では、ボランティアとは縁遠かった八木さん（昆虫の分類）、江崎さん（鳥の生態）、藤本さん（住居）たちが担当していました。今では、多くの現場経験を通して、皆さんは専門家になられましたが。この養成講座では、「ボランティアとは、自発的に考え、行動する人のことである。それ故、あれやこれやと教えるモノではない。自主性を尊重すべきである」などが館員たちの間で議論されていました。責任者としてはヒヤヒヤものでしたが、案ずるより産むがやすし、結果オーライでした。今では、ひとはくボランティアの方々から「最初は冷たい先生方と思ったけれど、今から思うと、自主性が尊重されてありがたかった」と言って頂いています。２０１４年（平成26年）に開催された人と自然の会20周年での私の挨拶文は、「ＮＰＯ法人 人と自然の会20年の活躍」として後で掲載しています。

（2）博物館マネジメントの導入

ひとはくが開館して10年ほどが経過した頃のことです。当時の県知事から「ひとはくは何をしているのか？多くの人材と予算を使っているのに研究者が何をしているのか見えない？　来館者数が少なすぎる」との叱咤激励を頂きました。このことが博物館の新展開を進め、新たなマネジメントを導入する絶好の機会になったのです。これを推進するために副館長職が設置され、筆者が着任することになりました。

1年程かけて、金曜日のアフターファイブに、研究者、事務職員が集まって、多様な外部講師陣から実践的なレクチャーを受け、博物館のマネジメントについて議論しました。広報、集客など、できることから順次着手はじめました。改革が進むにつれて、一部の研究員から「目から鱗」との感想が聞こえてきたり、口の悪い研究員から「走りながら考えろという副館長」と褒めて頂いたりしました。

この概要を、アドバイスを受けた方々、そしてアドバイスの項目として図１に示しています。

Ⅱ　パークマネジメントの実践

（１）パークマネジメントの芽生え

阪神・淡路大震災の経験から、多くのことを学びました。注目すべきことは、震災直後、避難場所として被災者に有効に使われた空間が、学校の校庭等と共に、日常的に住民によく使われていた公園や緑地であったことです。良好にマネジメントされていた学校の校庭や公園は、非常時にも住民に有効に活用されました。その後の震災関連のヒヤリング調査で、公園等の避難場所で自治的な組織や仕組みができ、リーダーシップを発揮して、人々をまとめた人材がいたことが報告されています。このことは、住民参加や公園やみどり空間のマネジメントについての貴重な示唆といえます。

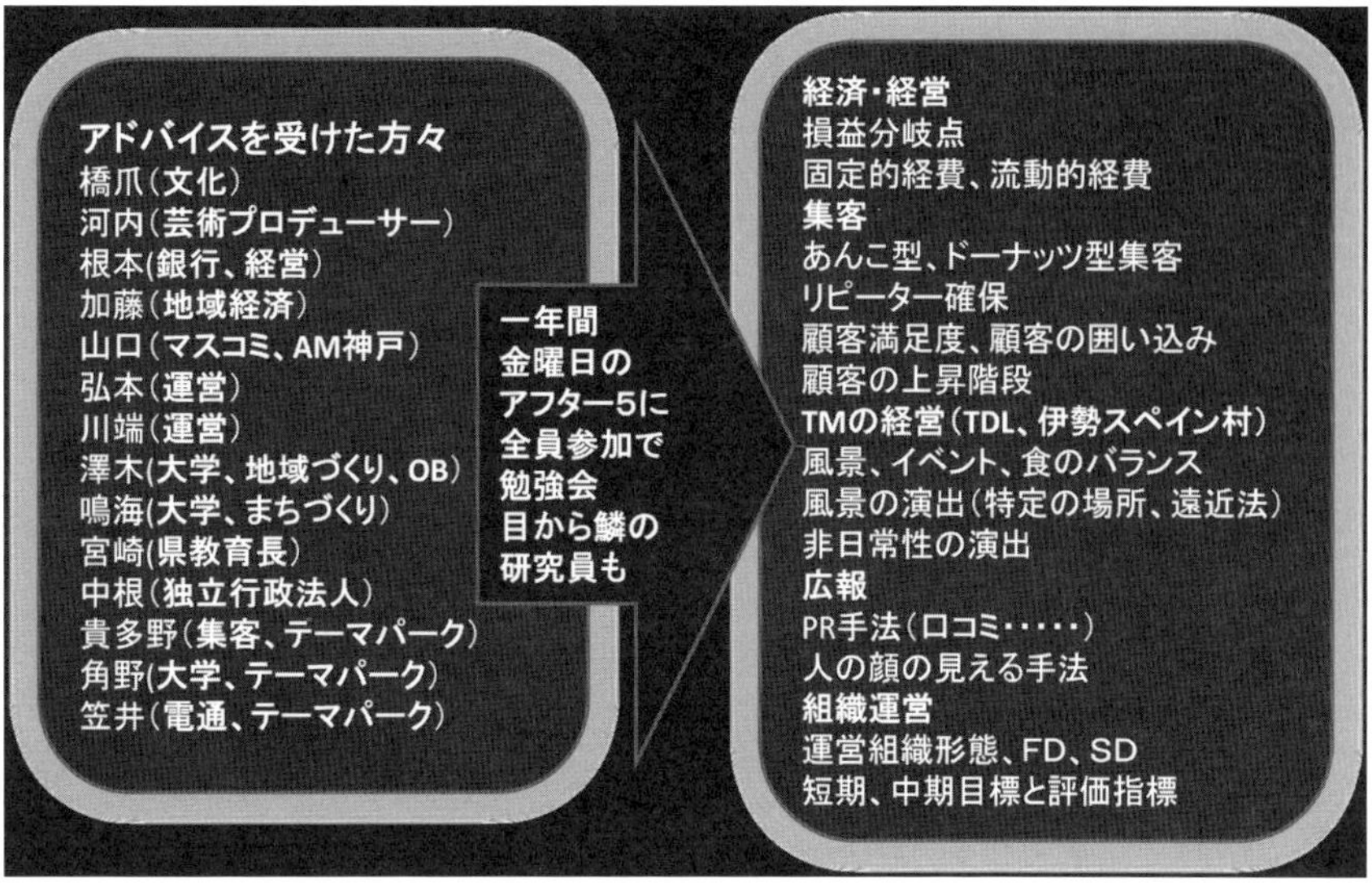

図１　博物館新展開への学習の概要

この震災を契機にして、市民運動の様相は大きく変化しました。既存の市民組織である自治会、婦人会等に加えて、新たな市民組織としてNPO・NGO、ボランティアグループ、専門家、コミュニティビジネス的な組織が出現し、各々が単独に、あるいは協働して活動が活性化してきました。

しかし、復旧・復興の初期では前記の既存組織と新組織が、対立構造になる場合も見られ、既存組織と新組織が「分離」の状況にありました。しかし、徐々にその構造に変化が見られ、「分離」から相互に部分的に協力し合う「重複」、そして、行政との良好な関係を維持しながら全面的に協力し、相互に「内包」し合う形になったケースも見られました。市民組織そのものが成長し、進化したのです。この動向は、市民や市民組織と行政との「参画と協働」の用語に示されるように、まちづくり、コミュニティづくり等における市民組織や市民の活動をさらに活性化したのです。

これを行政サイドから支持する意味合いで、「21世紀の都市（まち）づくり三田国際会議」が、造園、建築、都市計画、福祉、高齢者、経済、経営、NPOなどの専門家の参加のもとで開催され（兵庫県・三田市主催、平成10年7月）、7項目にわたる宣言がなされました。それらは、①パートナーシップ：自律性のある市民組織の育成、②経済活性化：コミュニティ経済の仕組み、③自然環境：自然の営みの尊重と資源への配慮、④人間環境：ユニバーサル・デザインなどの導入、⑤まちの顔：まちの賑わいや魅力、集まる場づくり、⑥人々の顔の見えるまちづくり：文化、風土を基礎に、⑦新しい参加の仕組みの構築でした。7番目の「新しい参加の仕組みの構築」などが、ボランティア活動、参画と協働、組織間のネットワーク化などを通じた都市や公園へマネジメント機能を導入するきっかけとなりました。

（2）パークマネジメントの実践

兵庫県三田市に県立有馬富士公園（平成13年開園）があります。昭和末に策定された基本構想（筆者は委員として参加）はバラ色で、世界の森や花をイメージしたものでしたが、平成になって自然、里山をテーマにした内容に変更（委員長として参加）されました。開園までに、自主的に県立公園をマネジメントする組織を創設しようと、県当局とひとはく関係者との間で真摯な議論が進みました。結果として、総花型から運営型県立都市公園へと変化し、マネジメント組織の導入に到ったのでした。その過程を以下に紹介します。

① 兵庫県から（社）日本造園学会へマネジメントの組織の在り方について研究を委託し、計画・運営協議会の提言（図2）を得ました。学識者に加えて、ひとはく研究員、市民、近隣の大学生などが委員会に参加するオープンな研究会として運営しました。特に意図したことは、学生や異分野の専門家の知恵を公園マネジメントに導入することでした。各分野の専門家を招聘して8回の勉強会をしましたが、各回のテーマと招聘した専門家は次の通りです。

i　公園の立地環境と運営プログラム（全員）
ii　公園を名所にするための仕掛けづくり（例えば絵馬→ちょっと気になる場所づくり）（角野幸博氏）
iii　ＮＰＯの運営および育成手法（浅野房代氏）
iv　公園における関係性マーケッティング（顧客満足度、顧客の囲い込み？）（喜多野乃武次氏）
v　新旧住民の交流手法（塔下真次氏）
vi　ＮＰＯ活動を支援するＮＰＯ法人の運営手法（中村順子氏）
vii　文化プログラムと公園の運営手法（鳴海邦碩氏）

viii　虫取りから都市政策まで（高田公理氏）

②有馬富士公園開園に際して、記念式典に加えて、多彩なイベントをボランティアの方々とともに開催し、これが以降継続することになりました。アメリカから住民参加の実務家・専門家、イギリスから森林ボランティアの実務家を招聘し、ワークショップを開催しました。これらは、市民参加型の公園マネジメントの始まりとなりました。このワークショップの成果が、有馬富士公園に増設されたあそびの王国のデザインとマネジメントにもつながりました。

③公園内に設置された三田市立施設と公園事務所に計6人のコーディネーターが配置されました。これは、公園をより活性化しようとされた塔下元三田市長の英断によるものでした。

④ひとはくの藤本さん（住居）を中心にした計画・運営協議会の準備が始まりました。その特徴は、緑以外をテーマにした多様な団体の参画

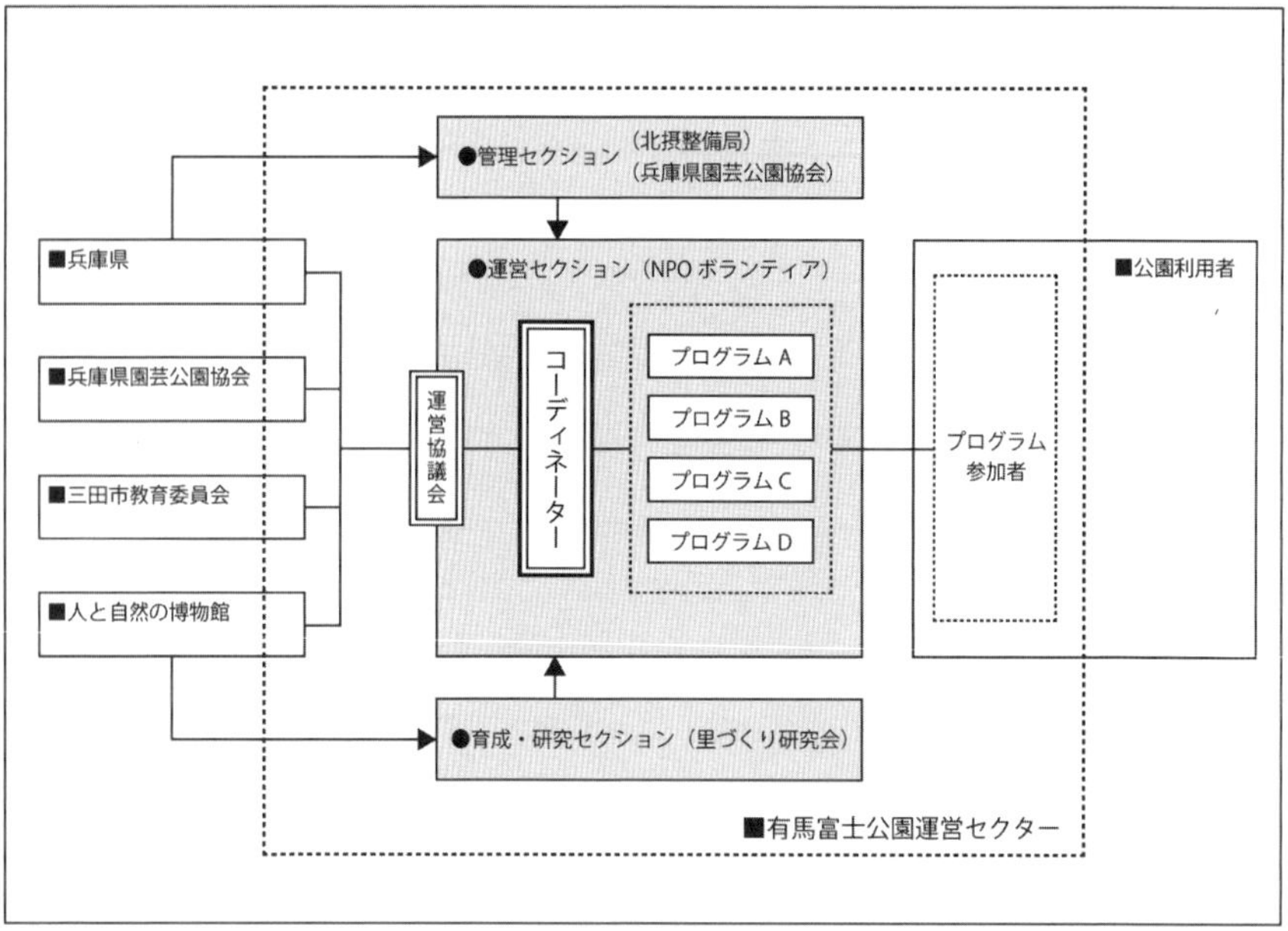

図2　計画・運営協議会の構図

を求める「夢プロ」、有馬富士公園を活動拠点とする「クルー養成講座」の開催でした。

⑤場づくり、コーディネーション部会を内包した計画・運営協議会の実践が開始されました。協議会は、市民、団体、ＮＰＯ、学識、行政が参加するラウンドテーブルでした。これらは藤本さんとボランティアの皆さんの協力によるものです。

⑥秋フェスが、ひとはくなどとの連携のもと、ボランティアの皆さんと藤本さんたちの企画、運営によって開催されました。

⑦あそびの王国が増設・開園され、ガキっこクラブ（大学生の協力）が結成され、子どもたちとの遊びや学びについて活躍しています。当時、ひとはくにいた嶽山さん（造園、現在は淡路景観園芸学校）が活躍しています。

⑧これらの活動が、兵庫県長期ビジョンの中で「参画と協働」のモデルとなりました。

⑨計画・運営協議会のもと、各種団体（ＮＰＯ）の自主的活動が日常化しました。例えば、貴重種が分布する湿地の保全と運営はボランティアの皆さんとひとはくの三橋さん（生態学）の努力の賜物です。最近では、服部さん（応用生態学）の提案で公園内に群生するナツツバキが三田市の天然記念物に指定されました。

パークマネジメントの展開と公園の新しい価値、新宮氏の作品、三田市

⑩兵庫県の全県立公園に運営協議会が設置されました。

Ⅲ　パークマネジメントの展開

（1）研究者から利用者への視点の変化

年齢を経たためでしょうか、いつしか公園や緑地を見る立場が研究者から利用者へ、平均値的から個別的へと変化しているようです。公園での子どもたちの遊びを見ながら、子どもたち相互間での遊び、社交、競い合い、譲り合い、学び、成長などが気になりますし、子どもたちを見守る保護者間の交流、コミュニケーションも気になるところです。このような視点が、パークマネジメントのさらなる展開に必要なのかと思っています。

あそびの王国でのガキっこクラブの活動、三田市

（2）パークマネジメント、そのこころは公園の新しい価値

有馬富士公園の歩みの②で「アメリカから住民参加の実務家・専門家…。市民参加型の公園マネジメントの始まりとなりました。この成果があそびの王国につながりました」と記しましたが、この専門家は、カリフォルニアのバークレーに事務所を置くＭＩＧのスーザン・ゴルツマン氏のことでした。彼女は住民参加型の公園デザイン、ユニバーサル・デザインの専門家として活躍されています。最近ではＵＳＪのユニバーサルワンダーランドがゴルツマン理論に基づいていることを紹介したホームページもみられます。

彼女たちの著書である『Play for All』を翻訳していた平成2年頃、公園入り口、砂場、水のみ場、流れ…などでの「セッティング」の言葉を多用されていたこと、介在する人材の重要性を主張されていたことを思い出しています。乳幼児や保護者など人々の行動と環境との相互依存関係を重要視されたデザインの考え方と実践でした。

ハードでは、乳幼児と保護者を対象にした砂場、水飲み場のセッティングなどの新たな概念からの場づくり、ソフトでは子どもたちの遊びや学びなどをコーディネートできる新たな職能などの公園への導入であるといえます。これらのことが公園の新しい価値に繋がるものと考えます。

Ⅳ　パークマネジメントを志す皆様へ

また博物館の話題で恐縮です。２００９年4月、大阪府高槻市にある芥川緑地資料館「あくあぴあ芥川」での連続講座の中で、筆者が「小規模博物館の良さを広く情報発信し、より地域に根ざした元気な博物館になって行くために、『小さいとこサミット』を開催してはどうか」と提案したことが〝事のはじまり〟でした。２０１０年2月には、あくあぴあ芥川で「小さいとこサミット～小規模館園のつどい～」が開催され、40名程の参加がありました。その成果を継承するためメーリングリストが開設されました。

ネットワークの趣旨・目的は、小規模ミュージアムの活躍を通して、明るい社会を実現することで、「小規模」の定義は、特にありませんが、だいたいのイメージは、年間総予算5千万円以下くらい、正規職員３人以下くらいでしょうか。「ミュージアム」は、いわゆる「博物館」にかぎりません。事業・活動は「いろいろできたらいいな～」ですが、交流（小さいとこサミット、研修会、交流会など）、互助と支援（資料、人材、情報の貸借、災害復興支援など）、増殖（実績の普及、設立支援、運営支援など）などとされています。現実に、小規模館の若者たちを主としたネットワーク形成、年1回の発表会の開催、巡回展示、展示など物の再利用、研究チームの形成、さらに各館個別でのユニークな活動が展開されています。図3に、彼らが協議し決めた小さいとこ博物館のユニークな定義を示します。

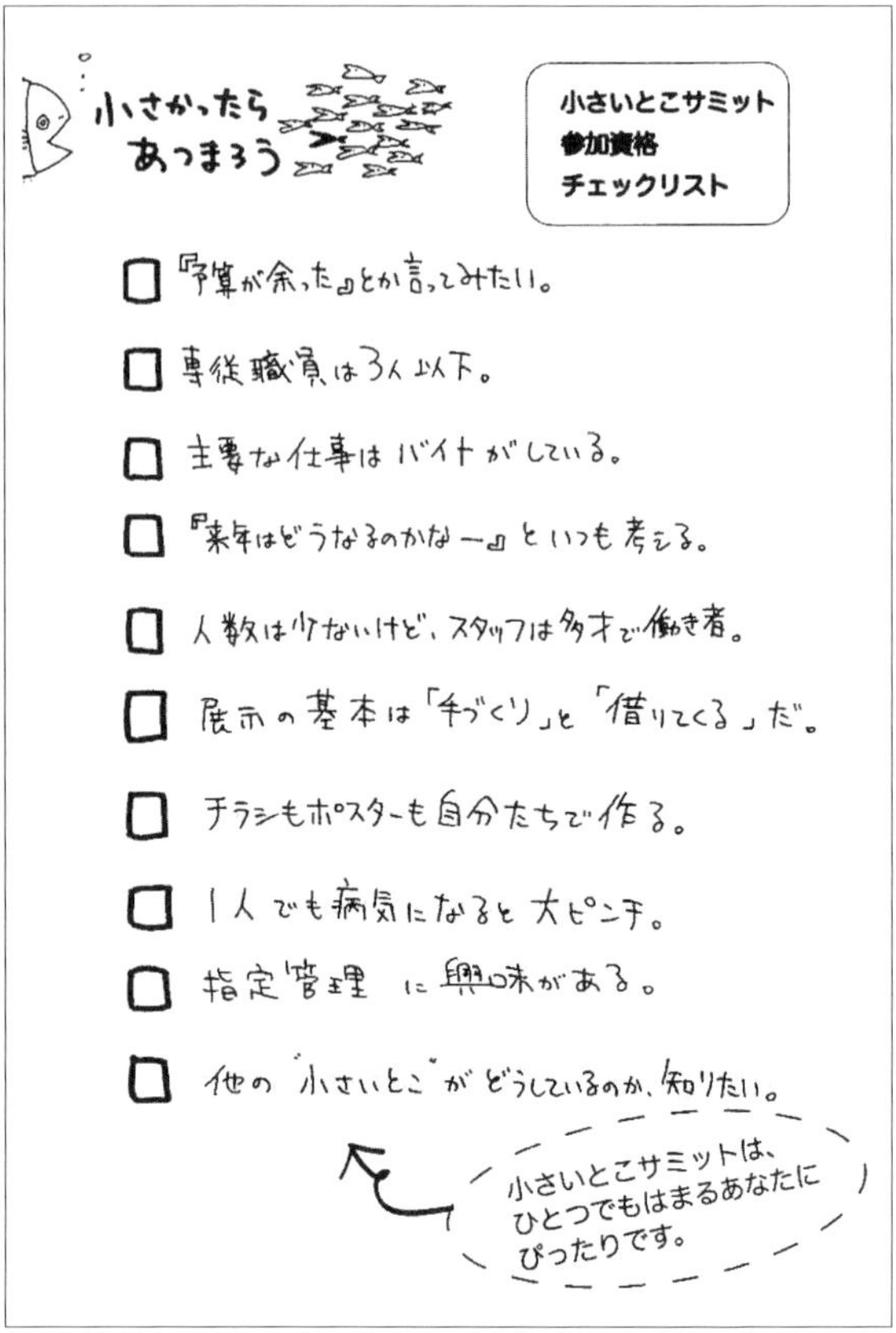
小さかったら
あつまろう
小さいとこサミット
参加資格
チェックリスト
『予算が余った』とか言ってみたい。
専従職員は3人以下。
主要な仕事はバイトがしている。
『来年はどうなるのかなー』といつも考える。
人数は少ないけど、スタッフは多才で働き者。
展示の基本は「手づくり」と「借りてくる」だ。
チラシもポスターも自分たちで作る。
1人でも病気になると大ピンチ。
指定管理に興味がある。
他の"小さいとこ"がどうしているのか、知りたい。
小さいとこサミットは、ひとつでもはまるあなたにぴったりです。

図3　小さいとこ博物館の定義

　これらのことはパークマネジメントに大いに関係するものと思います。皆様で、博物館を公園に置き換えて考えてみてください。以下に、筆者が考えていることを記して、パークマネジメントを志す皆様へのメッセージとさせていただきます。

・基本は現状維持を目標とした「管理」の発想から、より有効に公園を活用するかを意図した「マネジメント」の発想へ転換することです。

・要は、従来からの公園に関する既成概念から脱皮して、公園の新たな可能性を追求することです。
・地域特性、地域コミュニティ、顕在的潜在的な公園利用者、加えて、高齢者、乳幼児、植物、動物、昆虫…を意識したマネジメントの展開です。
・「個別的プログラム」から「より俯瞰的な視点からのプログラム」の展開です。「公園での虫取りと環境学習」「公園の自然とアート」…です。
・重要なことは、パークマネジメントの担当者が、仲間とともに、実践しながら、交流し、学び合い、成長し、成果を得ることです。
・アート、エコロジー、住民参加、これら全てを受け止めて、新しい概念をも導入し、公園をより活性化する職能がパークマネジメントであるといえるでしょう。

公園・環境のマネジメント

公園マネジメントに関して、記憶に残る３つのエピソードを紹介し、新たな造園人材像を模索しています（造園組合新聞新年号の原稿　２００９年12月）。

リスク、アセット、品質マネジメントなど、世の中では、多くの分野でマネジメントが流行です。マネジメントは、「馭者が、馬車を引く複数の馬を意のままに操る、思い通りに操る」などの意味が始まりとのことです。では、「公園・環境のマネジメントとは何であろうか？」が本論での問題提起です。

話は変わりますが、２００９年（平成21年）は、筆者にとって、20有余年ぶりに本格的な造園の教育・研究の現場である兵庫県立大学専門職大学院緑環境景観マネジメント研究科および兵庫県立淡路景観園芸学校に復帰した記念すべき年でした。前々任の大学で19年間にわたり造園の教育・研究に従事した後、現在も継続していますが、兵庫県立人と自然の博物館（以下、ひとはく）にて、自然や環境に関わる社会教育、生涯学習の実践に19年ほど従事していました。いわば、この二時期に、高等教育と社会教育、生涯学習の双方を経験させて頂いたものと考えています。これらが本論のタイトルの「公園・環境のマネジメント」を語る上での貴重な体験であったと考えています。この中から、本題に関係する印象深いエピソードを三つ紹介します。

随分昔の話で恐縮ですが、第一は、アメリカでの30年以上も前の体験です。１９７６年、カリフォルニア大学バークレー校で、Ｃ・マーカス教授の「ランドスケープへの社会心理学的アプローチ」の講義を受け、サンフランシスコの公園現場で「利用者、管理者、設計者からの情報」を如何に集めるかのテーマを与えられたことがありました。テーマは、ポスト・コンストラクション・アナリシスでした。それらの成果が「People's Place」としてまとめられていますが、いまから思うと、近代的な公園マネジメントやユニバーサル・デザインの端緒だったと思っています。この延長線上で、ＭＩＧ著の『Play for All』の翻訳（『子どものための遊び環境』鹿島出版会、１９９５年）や幾つかの書籍を書かせて頂きました。県立有馬富士公園あそびの王国のデザインにまで展開した、ゴルツマン氏を迎えての子どもたちとのワークショップなども思い出深いものです。当時は明確には気づいていませんでしたが、公園マネジメントの実践の始まりであったと思います。

第二は、ひとはくでのソフト展開、あるいは新展開に関するエピソードです。現在、ひとはくは、セミナーやキャラバン事業をはじめ、恐竜・ほ乳類・カエルなどの化石、さらにはジオパークなどで注目を集めていますが、かつて、10年以上前には、入館者数が落ち込んでいた時期がありました。博物館の新展開と称して、1年間程かけて、外部から多様な専門家を招いて、今後の博物館のあり方や集客増について、研究員、事務員の区別なく全職員が勤務時間後に勉強会をしたことがありました。口の悪い研究者（?）は、「副館長は走りながら考えよう云々のことを言っていた」と、この頃の状況を文章に書いていますが、無意識に、今で言うアクティブ・マネジメントを実践していたと思われます。そのころに学んだキーワードは、顧客満足度、顧客の上昇階段、広域および地域集客理論、顧客の囲い込み、口コミなどを含んだ広報、顧客データベース、損益分岐点、固定的経費と流動的経費…など枚挙に暇がありません。いわゆる関係性マーケッティングを実践しながら学んでいたものと思います。「目から鱗」と発言してくれた研究者もいました。これが次に述べます公園マネジメントにも大いに関係することになったのです。

第三は、「公園マネジメント」に関わる直近のエピソードです。２００９年秋、日本造園学会誌であるランドスケープ研究の「公園マネジメント特集」の巻頭対談を、東京工業大学名誉教授の中村良夫先生とさせて頂きました。中村先生の「博物館に学芸員がいるのに、何故、公園にはいないか…?」の言葉から、明確に公園マネジメントとその人材の重要性に関して確信を持つことができました。博物館に在籍していた、あるいはいるからこそ、率直に、実感することができました。過去にも2回ほど、先生とは対談させて頂いたのですが、漸く、自分は興味ある立場に置かれていると認識した次第です。

社会では、公園のマネジメント、指定管理者制度など、公園・環境のマネジメントに関わる新たな試みが定着しつつあります。造園界の皆様は、果敢に挑戦されていることと思います。まさに、ソフトの時代、マネジメントの時代が到来しつつあるといえます。環境、自然、歴史、文化などの特化した分野に精通した「I」型の人材や組織は、顕在化し活躍されていますが、多様な分野をコーディネートできる「T」あるいは「V」型の人材や組織はまだまだ希薄であるといわざるを得ませんが、これぞ私たち造園界の得意技の一つではないでしょうか。

阪神・淡路大震災直後に、景観や環境の専門技術者を育成するために開設された兵庫県立淡路景観園芸学校では、景観園芸専門課程などを通じて実務技術者育成がなされ、多くの有能な人材を社会に送り出してきていますし、２００９年から、兵庫県立大学専門職大学院緑環境景観マネジメント研究科として新たな展開が始まったところです。ひとはくでは、幼児から高齢者までを対象にした、多様なセミナー、出前博物館としてのキャラバン、中・高等学校などとの連携授業など、年間３００以上にも及ぶ多彩なプログラムや生涯学習が準備されています。

さらに、２０１０年（平成22年）は、国際生物多様性年とされていますが、この年の秋に愛知県で開催されるＣＯＰ10での重要なテーマになると予想されている「生態系サービスとその評価」は、企業活動などビジネスの分野でも注目されています。さらに、公園・環境のマネジメントを語るのに、画期的な年になるような予感がしています。気候変動、生物多様性、途上国支援、さらには生態系サービスとその評価などの様々なキーワードが社会化、一般化される可能性があります。

造園界の皆様とともに、新たな環境の世紀を開拓すべく、兵庫県立大学専門職大学院緑環境景観マネジメント研究科、兵庫県立淡路景観園芸学校およびひとはくでは、着々と担い手を育成する準備を整えています。皆様方とともに大いに飛躍する年になることを、期待を込めて心から祈念申し上げます。

パークマネジメントと指定管理者制度

指定管理者制度15年記念特集の巻頭言です。本原稿は、最終ではなく、その一つ前のものです。最後の段落、三浦しをんさんの段落は最終原稿では、他の内容に差し替えています。本文中に「…公募型から非公募型に変更されたケース…」とありますが、これは「神戸市」と書きたかったのですが、遠慮してしまいました。色々悩みながら書き上げた原稿です（公園緑地第79巻4号　指定管理者制度15年　巻頭言　2019年3月）。

平成のはじめ、子どもの遊びに興味を持ち、『Play for All』を翻訳しながら、有馬富士公園（兵庫県三田市）などの現場で、仲間とともにマネジメントを試行していました。指定管理者制度（以下では制度）が発足するまでは、公物としての公園を、行政が維持管理するのは当然のことでした。そのため、マネジメントのための人材確保・育成、管理・運営の効率化、多様な試みの導入、広報、顧客満足度の向上、顧客データの蓄積など、多くの課題群が公園現場では未着手でした。

制度が発足して、既に15年も経過したのでしょうか。管理の期間や継続的な人材育成などの課題があると思いますが、制度発足前と比較すると、多くの公園で、マネジメントは格段に向上・進化し、利用者の満足度が向上したことは確かです。

指定管理者を選定する複数の委員会（以下では委員会）に参加しましたが、その仕組みは、委員会毎に異なりました。評価項目などは決められ、選定を終えれば解散する委員会から、評価項目の設定、項目の重み付け、評価を議論し、全体の仕組みの改善を提案しながら継続する委員会もありました。さらには、一定期間の指定管理者の活動を評価し、その結果を、次の選考時に活かせるケースもありました。指定管理者制度の健全な発展のためには、委員会そのものの継続性と成長が重要であることを経験的に学びました。

評価の際には、一般に「効率化とは?」「b/cは?」などと共に、「公園での新たな試み」などの議論がありますと。応募者からの「ワクワクするような提案」が可能な評価項目の拡充に、個人的には大いにこだわってきました。また、特例かもしれませんが、数年前から、博物館的、社会教育的な機能を有する植物園などの施設が、公募型から非公募型に変更されたケースがありました。施設の特性、事業の継続性、有能な人材確保・育成などから評価できます。

作家 三浦しをん氏の博物館に関わる近著(『ぐるぐる♡博物館』実業之日本社、2017年)から印象に残った文章を引用します。「(ボタンの博物館を見学して)…数々のボタンを眺めながら、つくづく思った。ひとは、利便性だけでは決して満足できず、美と遊びを追求せざるにはいられない生き物なんだと」「経済性だけではない博物館の存在意義…それをどう高め、理解してもらうか…」です(11月28日、第66回全国博物館大会記念トークでも紹介)。

有馬富士公園のめざすべき方向

兵庫県立有馬富士公園の、これまでの経緯と、これからについての希望を述べた内容です（全国公園マネジメントの集い　報告内容　２００９年３月）。

「有馬富士公園のめざすべき方向」について、報告の前半で「有馬富士公園の記憶に残る思い出」、後半で「目指すべき方向性」について話します。「有馬富士公園の記憶に残る思い出」は、次の3点です。

第一は、１９８８年（昭和63年）頃と思いますが、基本構想策定委員会に入れて頂いたことです。世界の森などを創ろうなどの華々しい構想内容になっていたと記憶しています。当時、私は大阪府立大学の助教授でした。その後、構想を自然風、そして、里山、棚田、ビオトープなどを主にした内容へと変更するお手伝いをしたことを覚えています。

第二は、出会いのゾーンオープンの2年前、１９９９年（平成11年）に「有馬富士公園管理運営策定業務」という仕事をさせていただきました。幅広い分野の専門家、行政関係者で検討委員会を構成し、ＮＰＯ、マーケッティング、文化、都市政策など様々なテーマで勉強会をしました。

この成果が、開園1年前の２０００年（平成12年）、「有馬富士公園計画・運営協議会」の設置になったのです。この会には、住民、学識、県、市、公園協会、ひとはくなどのメンバーが参加していました。いまから思いますと、日本で初めて、県立公園に「協議会的な仕組み」ができた時でした。

そして、２００1年（平成13年）の出会いのゾーン（66ha）のオープンとなったのです。オープン当初から、住民グループによる自主企画、運営プログラムである夢プログラムの仕組みの導入がなされました。現在、約30のグループが、80以上のプログラムを来園者に提供中です。

第三は、２００1年の「みんなでつくる公園を考えよう」のテーマで国際シンポジウムが開催できたことです。これにはワークショップの第一人者であるスーザン・ゴルツマン氏をアメリカから迎え、森林ボランティアの第一人者であるドミニク・ラム氏をイギリスから迎え、市民参加のもとで座学やフィールドワークを実践的に進めることができました。この試みは今も有馬富士公園で脈々と引き継がれています。

これらの成果が、２００5年（平成17年）のあそびの王国の施設デザイン、さらにはプレイリーダー集団「ガキっこクラブ」の結成に深くつながったと思っています。その後、２００5年秋の育樹祭、２００7年春の休養ゾーンのオープン、２００9年の今日に至っています。

次の、後半の「目指すべき方向性」について、2点提案させていただきます。

第一は、現在活躍中の夢プロやボランティアの方々が、

兵庫県立有馬富士公園、三田市

持続的に、公園で活躍する新たな人材育成を進めていただきたいということです。幸い、有馬富士公園の近くには、関西学院大学や湊川短期大学がありますし、ひとはくもあります。公園マネジメントから、さらにはエリア・マネジメントへと拡大することも望まれます。

第二は、兵庫県のみならず、日本の公園運営、マネジメントのネットワークの拠点として、有馬富士公園での先進的な試みを発信していただきたいということです。できれば、年に1回は、有馬富士公園で、公園運営、マネジメントに関する全国的なイベントが開催されるようになれば素晴らしいと期待します。

ハイハイ歩き用の芝広場、県立甲山森林公園リニューアルオープン

県立甲山森林公園リニューアルオープンの際の開会の挨拶文です。事務所棟が改装され、子ども（乳幼児）の遊び用の芝広場などが造成されました。それらにエールを送ったつもりの内容です（挨拶文　２０１８年11月）。

本日は、甲山森林公園リニューアルオープン、おめでとうございます。

甲山森林公園とは、ここの管理・運営協議会の会長を長らくさせていただいていました「ご縁」があります。公園を如何に活性化するか、効率的に運営するかを、地域住民、市民団体、そして行政の方々と協議していたことを思い出しています。山頂広場からの眺望の改善、遊歩道の再整備、植生群落の転換などについて議論しました。

さて、兵庫県では、子どもたちの環境学習や教育を、他の行政に先駆けて積極的に推進されています。幼稚園、保育所でのグリーンガーデン実践事業に始まり、小３の環境体験事業、小５の自然学校、中学生のトライやる・ウィークと、継続したプログラムを準備されています。加えてグリーンスクール表彰事業もあります。

この甲山森林公園でも、これらの環境学習や教育の事業に、大いに貢献されてきましたし、このリニューアルオープンを契機にして、さらに貢献して頂ける事をお願いいたします。

別の県立公園、有馬富士公園の話で恐縮ですが、ここには２００５年（平成17年）に、新たに「あそびの王国」と称する部分が追加されました。子どもたちからは「鬼の公園」と呼ばれて、非常に人気があります。このあそびの王国の準備では、アメリカから、子どもの遊び場のプロともいうべきゴルツマン氏をお呼びして、子どもたちと遊びについてのワークショップをしていました。その成果、例えば音の出る遊具、ふわふわの床、巨大滑り台などですが、これらが多く反映されたために、子どもたちに大変人気があるものと思っています。まさに、五感に訴えかける公園となっています。また、ガキっこクラブと称する、若者たちの組織が子どもたちと上手く付き合ってくれていました。わが国では、ユニークな、子どものための遊び空間の一つであると思っています。

ハイハイ歩き用の芝広場、兵庫県立甲山森林公園、西宮市

この甲山森林公園リニューアルでも、子どもたちの遊びに関わる方々と共に、多くのワークショップを重ねて、今回のリニューアルオープンを迎えられたと聞いています。豊かな森林を生かした公園になること、子どもたちから素晴らしいニックネームを付けていただけることを大いに期待しています。

社会はボーダーレスの時代に突入しています。甲山森林公園でも、森林や自然を満喫することは当然ですが、これに加えて、遊びに、学習に、観察に、採集に、そして子どもたちの仲間づくりに、交際に、社交に、大いに活用されることを期待いたしまして、私のお祝いの挨拶とさせていただきます。

庭の楽しみ

庭の楽しみ方、基礎から、応用まで解説しています（ひとはくパネル展　２００８年７月）。

戸建て住宅の方々のみならず、マンションなどの集合住宅にお住まいの方々も、庭や緑を楽しまれています。庭やベランダには、太陽の直射光があり、雨も降りそそぎ、風も吹き込みます。そして、そこには多くの植物が植えられています。庭は多様に「変化する空間」、緑が「生長する空間」なのです。一方、家には屋根があり、壁があって、外界から守られた私たち人間にとって「安定した空間」といえます。

人間にとって、この「安定した空間」と「変化・生長する空間」が共存することが重要なのです。このことによって、私たちは精神的な楽しみ、安らぎ、ゆとりなどを享受することができるのではないでしょうか。私たちの生活の中で、家と庭の緑、部屋とベランダの緑、この絶妙な関係づくり、このことが庭づくりの極意といえるでしょう。

住宅の庭のみならず、ベランダでも、家族のライフスタイルにあった縮景の庭、借景の庭、さらには石の庭までもつくることができます。その際には、庭の方位、雨・風などの自然現象、周囲の山々や公園や街路樹の緑などの環境、さらには街並み景観などをよく観察し理解して、それらの良いところを如何に旨く取り込み、活かすことができるかが重要です。

庭は、私たちにとって精神的な楽しみ、安らぎ、ゆとりを与えてくれると共に、緑の日除けや風除け効果などの気象緩和、野菜や果樹などを通じた食物生産、生物多様性の維持、さらには街並み景観づくりにまで役立ちます。更に、庭はオープンガーデンなどを通じた地域社会づくりにまで貢献してくれます。

昨今、地球温暖化、化石エネルギー消費、食糧問題などの多くの課題が山積しています。私たちの庭づくりから、これらの諸課題の解消に向けて挑戦することは、成熟社会での豊かな生活の質の追求であり、真の庭づくりの意味ではないでしょうか。

緑の街並み、恵庭市
自分の楽しみのみならず多くの方々と楽しみを共有するオープンガーデンで有名な北海道恵庭市の街並み景観の一コマ。市民一人一人の楽しみがまち全体を美しくしている。恵庭市はわが国でのオープンガーデンの発祥の地の一つである。本年は「ガーデンアイランド北海道」のテーマのもとで庭づくり、花づくりが全道で展開されている。

だんだん畑、芦屋市
阪神・淡路大震災後の震災復興住宅として建設された南芦屋浜の集合住宅の中庭。住棟間は、だんだん畑として、樹木の植栽のみならず、住民によって野菜なども栽培されている。住民にとって、見て、手入れして、収穫して楽しめると共に、コミュニティ形成の場となっている。

公園文化

個性ある地域の文化を反映した公園像について、私の願望を記してみました（丹波文化団体協議会報　原稿　2017年1月）。

故郷の神社境内は格好の遊び場（三角ベースなど）、高槻市

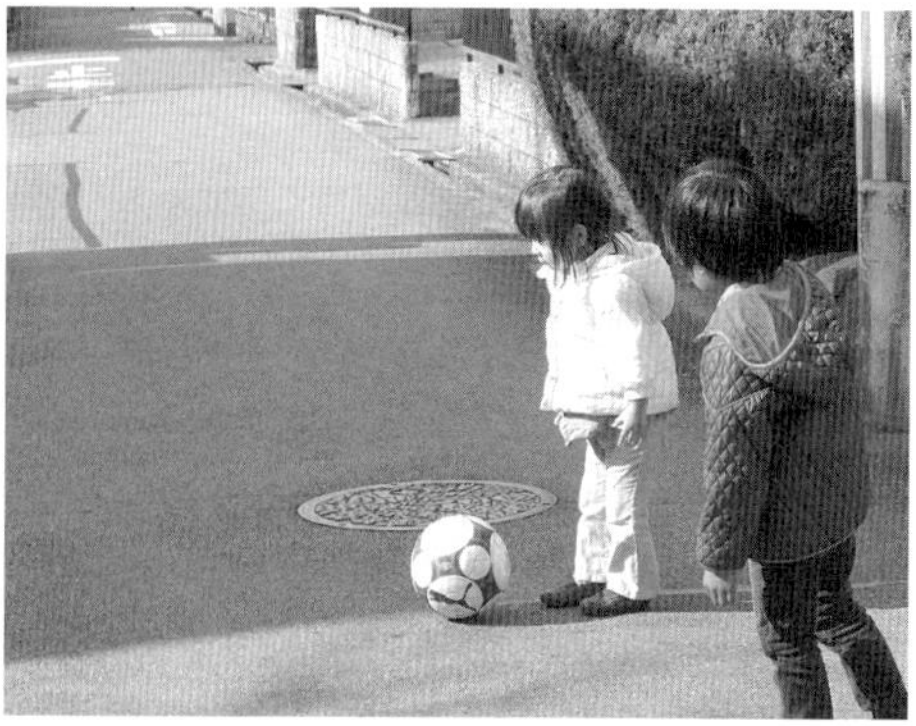

かつて、道路は興味ある遊び場、高槻市

最近の執筆や講演で、「公園文化」の用語を良く使っているなと、自分自身で感じています。その理由は、公園には独自の文化的な要素が、まだしっかり根づいていないと、しみじみと思うようになってきたからです。わが国の公園の原点に、居留地の外国人用の公園として明治4年に開設された東遊園地があります。また、「明治六年一月十五日、政府は公園設定について、各府県に対して、通達を出した。即ち「古来から名所旧跡といわれるところは公園として申し出よ」とのこと。いわゆるこれがかの有名な「太政官布達第十六号」である。http://

www.ueno.or.jp/history/」と記されているように、1873年（明治6年）に公園の用語が公式に使われだしています。これから紆余曲折があるのですが、140年以上も経過した今でも、私達の公園は、欧米の都市公園をまねて造ったもので、わが国独自の、あるいは地域独自の文化的な背景が欠落し、画一的で、近代的な遊び場としての側面が強調されすぎたのではないかと反省しています。

翻って、私たちの子どものころの遊び場を思い返してみますと、にわ、道ばた、河川、農地、社寺の境内などがあったと思います。各々の遊び場で、そこでの材料を駆使して、子どもたちは遊んでいたものでした。そこは、ある意味で、地域の文化・歴史を色濃く反映した場所であったと思います。これらの場所で、子どもたちは、自身の原風景を構築し、子どもたち相互の間で交友し、学びあっていたものといえます。

今では、交通事情、安心・安全上から、子どもたちの遊び場は、公園や校庭へと変わっていったように思われます。この近代的な公園に、地域の文化的な雰囲気を持ち込むことやかつての遊び場を復活させることを是非とも考えていきたいものと思います。

マネジメントの風景―博物館、景観園芸学校などから学ぶ―では、人と自然の博物館関連の原稿に加えて、淡路景観園芸学校、小さいとこ博物館ネットワークに関連する原稿を集めています。

人と自然の博物館については、『新しい博物館のこころみ』（研成社、２０１２年）、『ランドスケープ・アーキテクト博物館に行く』（筆者の退官記念出版、２０１３年）などで、既に多くのことを紹介しています。これらの中で、紹介しなかった楽しい内容を記述した原稿を集めています。なお、ひとはくの新展開については、「パークマネジメントの展開と公園の新しい価値」で、既に記載済みです。かつてのひとはくと同じように、淡路景観園芸学校では、現在、新たな展開が進んでいます。学生たちの交流に関する原稿と共に、新展開の原稿も交えています。

筆者が提唱した小さいとこ博物館ネットが、２０１９年で10年目を迎えています。若者が中心になって、生き生きと活動している内容を紹介した原稿を紹介します。

副館長がみた「ひとはく20年の歩み」

兵庫県立人と自然の博物館、その成り立ち、準備室長から歴代館長時のユニークな出来事について時系列的に記憶をたどってまとめました（兵庫県立人と自然の博物館20周年記念誌の原稿　２０１３年）。

「ひとはく」誕生の原点は、「県立自然科学博物館設置」に関わる請願（兵庫県自然保護協会、１９７３年（昭和48年））と「人間居住環境研究センター」の提言（ＩＦＨＰ兵庫国際会議、１９７６年（昭和51年））にあります。県教育委員会に、自然系博物館（仮称）設立準備室が設置（平成元年）され、場所を県庁周辺の兵庫県警本部別館、中尾ビル、生田庁舎と転々としながら、スタッフの充実と共に、基本構想・計画、展示計画、資料収集と着実に開館への準備が進みました。歴代の準備室長、館長の在任期間を区切りに、副館長からみた「ひとはく20年の歩み」を顧みます。図に、「ひとはく」と「県立大学自然・環境科学研究所の各系」の歩みを示しました。

初代準備室長は、霊長類研究の第一人者である伊谷純一郎先生です。世界の傑出した博物館を、準備室員に視察する機会を与え、「世界に冠たる博物館を創ろう」「眠れる獅子よ目を覚ませ」「タコ壺に入るな」との合言葉のもと、教授制を導入した40人規模の研究博物館に向けての胎動が始まりました。１９９１年（平成３年）３月上旬、日本初の、この仕組みが意思決定され、「ひとはく」の基本方向が決まった重要な時期でした。

「ひとはく」と「自然研」の歩み

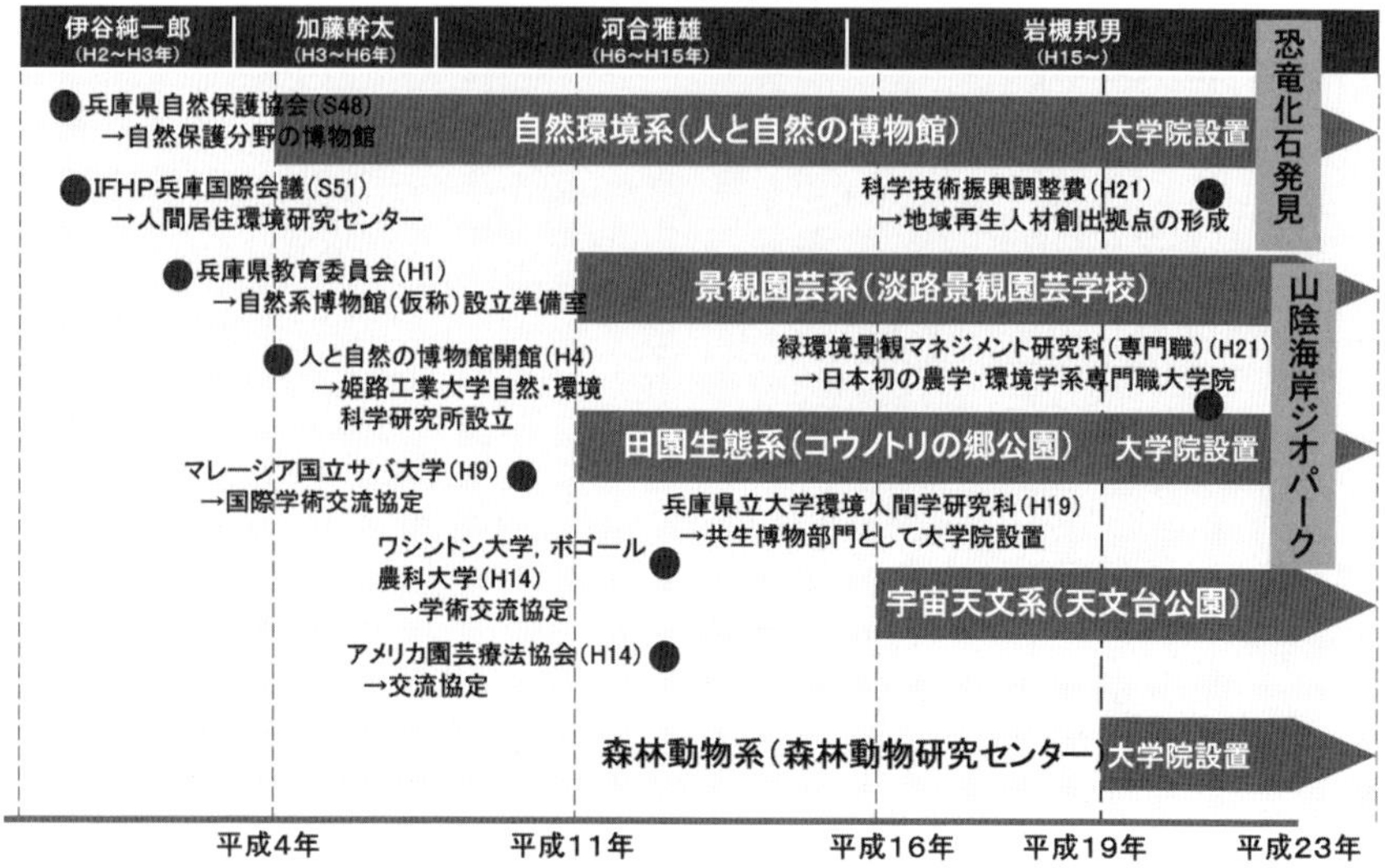

二代目準備室長で初代館長が加藤幹太先生です。バランスある経営感覚で準備室をマネジメントして頂きました。特に、教授制導入に関しては、京大時代の経験（評議員、学部長、学生部長）を存分に発揮頂き、準備室、県庁、大学（当時は姫路工業大学）の良好な関係を構築して頂きました。準備室員が「何かしでかすと先生の出番」という日々でした。漸く、日本有数の博物館として、県立大学の研究所として、１９９２年（平成４年）10月に、秋篠宮殿下、秋篠宮妃殿下、ご来臨のもと開館・開所式を迎えたのです。この時に「人と自然の博物館」が正式名称となり、順調な運営が始まりました。しかし、１９９５年（平成７年）１月の阪神・淡路大震災は、館には甚大な被害こそはありませんでしたが、県全体でもそうであるように、館の運営面、財政面で、震災の影響が徐々に顕在化し始めたのです。この時期に加藤館長は、滋賀大学の学長候補者に選考され、館員にとっては誇らしさ、寂しさが入り混じったご勇退でした。

二代目館長は、再び霊長類研究の第一人者河合雅雄先生で、館のテーマとして「共生博物学」が明確に打ち出されました。今も継続しているマレーシア大学と学術交流の協定、ボルネオジャングル体験スクールの実施、サバ州でのＪＩＣＡとの共同研究等と、ひとはくの国際的な活動が胎動し花咲いた時期です。館員と共に、マレーシアまで何度も出向かれ実践されていました。館では、ひとはくフェスティバル、共生のひろばなどが始まりました。この時期に忘れてならないのは、ひとはくの意思決定機関としての経営戦略会議の設置（平成13年）があります（同時期に副館長職も設置されました）。多くの予算を使いながら入館者数が少ないという課題に応えるべく、「博物館の新展開」構想（平成12年）を、ラジオ関西、日本長期総合銀行、電通、文部科学省、大阪大学、マーケッティング等、外部の方々から助言を得て、ほぼ全館員参加で策定し、

共生のひろば、表彰式の風景、河合名誉館長（左から2人目）など、三田市

ボルネオ、記念の集合写真、ダナムバレー

その成果として本会議が設置され、現在まで継続・発展し続けています。今から思いますと、博物館の新しいマネジメントを模索し、実践していたのです。また、開館からボランティアとして活動していた「人と自然の会」が、この時期に博物館ボランティアとして、県下では初のＮＰＯ法人の認証（平成11年）を受けられました。

三代目館長は、植物学研究の第一人者で、現館長の岩槻邦男先生です。誰も経験したことのない成熟社会、少子・高齢社会を迎え、これまでの館の活動を継承しつつ、全館員参加のもとで、「博物館の『新たなマネジメント』への挑戦」が進んでいます。その一例が、胎教から墓場までを意図した「生涯学習院」、「展示から演示」などのキーワードを導入した「新たな『兵庫県立人と自然の博物館』基本構想」の策定（平成19年）です。ここに盛り込まれた内容は、館の日常活動の中で試行的に導入され実現されています。名古屋でのＣＯＰ10を契機に、従来から進んでいた「生物多様性」への試みをより充実させ、展開しているところです。例えば、兵庫県をはじめ行政、企業での生物多様性戦略策定への協力と里山・公園などでの現場での実践があります。生涯学習では、従来から希薄であった乳幼児期の学習を支援すべく「キッズひとはく推進室」を設置し活動が始まっています。東日本大震災後、被災地の子どもたちを元気づけようと「ひとはくキッズキャラバンin仙台」が実施されています。多くのこれらの試みは、

ひとはく共生のひろば

館長のリーダーシップのもと、館員の発案、提案に基づき実施される状況が実現しています。このように博物館の「新しいマメジメントの姿」を現場で実践し、発展し、発信し続けているものと思っています・この時期に、丹波、篠山での相次ぐ恐竜化石等の発見の明るい話題が加わっています。

このような活動が展開できたのは、多くの皆様の献身的なご支援によるものです。自然系博物館（仮称）基本構想でお世話になった近藤典生先生（元進化生物学研究所理事長）、新たな「兵庫県立人と自然の博物館」基本構想でお世話になった三浦朱門先生（作家、元文化庁長官）をはじめ、多くの県民・市民、ＮＰＯ、企業、行政等の皆様のご支援・ご協力のおかげであることを記して、心からのお礼を申し上げます。

COP10 会場のひとはくテントでの堂本さん（左から3人目）と岩槻名誉館長（左から4人目）、名古屋市

ひとはくキッズキャラバン、八戸市

ひとはくの試み

ひとはくの様々な活動を紹介しながら、公園のこれからの可能性について期待する内容になっています（公園緑地　顧問の意見　２０１３年）。

１９９２年（平成４年）に開館した兵庫県立「人と自然博物館」（ひとはく）は、２０１２年度に20周年を迎えました。多くのイベント等を開催しましたが、博物館活動をさらに活性化するためのチャレンジがありました。その中に移動博物館車「ゆめはく」の導入、ひとはく多様性フロア～魅せる収蔵庫トライアル～の開設があります。

「ゆめはく」は、博物館から地理的にはなれた多自然地域等へ積極的に実物標本等を搭載して、研究者とともに出動し、生涯学習や環境学習を推進しようとするものです。「ゆめはく、石巻へ」と題して、２０１３年（平成25年）３月には、ひとはくの震災復興支援の一環として県外初出動もありました。ゆめはくの中で、カブトムシの拡大模型やネイチャーテクノロジーの展

移動博物館車　ゆめはく（ひとはく、八木氏提供）、三田市

示などを楽しんでいただきました。

館内では、2012年（平成24年）10月に多様性フロアがオープンしました。博物館が20年間に寄贈を受けた標本や館員が収集、集積してきた標本の一部を、来館者に見えるように配置しました。これらの標本は、間近で観察することができるほか、団体来館やセミナー、大学院の授業などを通じて、その場で研究員が解説する「演示」の手法を用いた双方向での対話型の学習にも活用されます。このフロアには、多様性の壁、多様性の箱、多様性のひろば、収蔵庫体験ラボ、ひみつの収蔵庫等があります。

このように、生涯・環境学習を意図した博物館の多様な新しい試みが展開しています。これらは、これからの都市公園のあり方とも共通するものではないでしょうか。行動する都市公園、多様なニーズを発掘する都市公園等、多くのテーマが見出せると思います。

ＮＰＯ法人 人と自然の会20年の活躍

元のタイトルは「20周年おめでとうございます」でした。博物館で活動する団体として、わが国ではじめてＮＰＯ認証を得た人と自然の会の20周年のお祝い文章です。今になれば、開館当時の五里霧中の中で、苦労した懐かしい思い出です（記念式典挨拶文　２０１４年12月）。

スーパードリームスタジオ（ひとはく、生涯学習課提供）、三田市

「ＮＰＯ法人人と自然の会」20周年、まことにおめでとうございます。心からお祝い申し上げますとともに、これまでの皆様方の「人と自然の博物館（ひとはく）」を舞台にされた活動に対して心からお礼を申し上げます。毎月第三日曜日のドリームスタジオ、毎年のひとはくフェスティバルの共同開催、正月開館時のイベント開催など、ひとはくと共に多彩な活動をして頂きました。特に、平成14年のスーパードリームスタジオでは、日本科学未来館館長の毛利衛さんを招聘したシンポジウムを開催して頂き、ひとはく開館10周年に花を添えて頂きました。このお陰で、文化庁長官をされていた河合隼雄先生までもお呼びすることができました。まさにボランティアの力を存分に発揮して頂いたもの、ボランティアであったからこそ実現できたものと敬意を表する次第です。加えて、日常的なプログラム開発、後継者育

成や誘致の活動など、真のＮＰＯ、ボランティア集団として、皆様の「人と自然の会」は、当然のことですが、ひとはくにとって欠かせない存在であると確信しています。

平成11年に博物館の世界では、最初のＮＰＯの法人資格を取得された人と自然の会の多くの皆様は、兄貴、姉御として研究員を上手く育成して頂くとともに、皆様方も多くを学んで頂いたものと思います。高齢化社会における第二の人生を、成功裏に実践されておられる方も多いと思います。また、若い会員の方々は、これからの進路など視野を大いに広げられたのではないでしょうか。

思い返しますと、開館してまもなくの事業、１９９４年（平成６年）のボランティア養成講座が、皆様の会誕生の序章でした。五里霧中で、手探りで、前列がない、あっても余り参考にしない、ひとはくのメンバーが集まって、「ボランティアは自分で考えて行動するものだ…」などの議論がなされていたことを鮮明に記憶しています。個人的には、公費が投入されているのに本当に大丈夫かなと心配していました。

当時の状況を思い返しますと、ひとはくはまだまだ混沌としていたようです。数年かけて計画した展示の強制動線が開館と共に崩壊したり、来館者に服装や言葉使いがなってないとしかられたりと、頭で考えたことと現場との乖離、これを実感しつつ、博物館活動を模索していた頃でした。「旅」と「旅行」の相違に拘った研究者、「熱帯林」と「熱帯雨林」の違いを簡単に説明せよと迫る教育長、「博物館」と「研究」はと議論する研究者、このような時期に、皆様の人と自然の会が誕生したことは、ひとはくとの関係で何か運命を感じざるを得ません。

これからも、ひとはくと末長い良きパートナーとして、研究者の相談者として、健康で大いにご活躍されますことを祈念申し上げます。

いよいよひとはく25年

人と自然の博物館25周年記念式典での挨拶文です（記念式典挨拶文　２０１７年）。

いよいよ、あるいは、漸く「ひとはく」は開館から25年目を迎えることができました。思い返しますと、この時間経過の中で、博物館と共に私たちスタッフも着実に成長してきたように思われます。人生に例えるならば、自律ある、自立した博物館になったのです。資料を収集し、展示し、観覧に供する従来型の博物館のイメージに、行動する博物館、出かける博物館、交流する博物館、思索する博物館として、研究を基礎にして人々の学びへの意欲を誘い支援するとともに、地域創生にも貢献する新しい意味を付加し続けてきたといっても過言ではありません。

過去5年間に、館員の皆が発想し、練り上げ、実現させてきた5トピックスと25プロジェクトとして、「館報概要版」を発刊する運びになりました。この内容は、将に前記の博物館の新しい意味を象徴しているものと自負しています。20年までの歩みは『みんなで楽しむ新しい博物館のこころみ』（研成社）に収録されていますので、本書と共にご覧頂けたらと思います。

ここまでに至る過程で、ご指導を頂いてきた準備室長の伊谷純一郎先生、歴代館長の加藤幹太、河合雅雄、岩槻邦男先生方、そして博物館を心から支えて頂いた兵庫県、兵庫県教育委員会の各位に心からお礼申し上げます。

篠山市立太古の生きもの館

筆者がかつてから関わってきた丹波並木道中央公園内に、恐竜関連の展示館が開設された際の挨拶内容です（竣工式挨拶　２０１７年３月）。

篠山市立太古の生きもの館の完成おめでとうございます。人と自然の博物館館長として、そして丹波の森公苑長として心からお祝いを申し上げます。

２００６年（平成18年）８月の村上、足立氏による丹波竜の発見、２００７年（平成19年）１月１日の新聞報道から様々な展開がありました。丹波市、篠山市の丹波層群から恐竜化石が多く発見され続けたのでした。２０１１年（平成23年）、この公園からも発見されるに至ったのでした。

この公園は私にとって懐かしい思い出があります。高度成長期に造られた基本構想があったのですが、それをつくり直す委員長をさせて頂いたのです。この公園の名称は兵庫県立丹波並木道中央公園ですが、この由来をご存知でしょうか？　本来は二車線車道の並木道が奥まで続き、橋を渡って国道まで通じる計画だったのです。この道路を途中で止めて、土地造成を極力少なくした公園計画に変更することに関わらせて頂いたのでした。その結果、公園は現在の形になったのですが、小型獣脚類の化石が発見され、その地に、この太古の生きもの館建設が繋がったものと喜んでおります。恐竜を活かしたフィールドミュージアム構想も徐々にではありますが進みつつあります。この太古の生きもの館が活性化し、ミュージアム構想にも大いに貢献頂けますことを祈念いたしまして、お祝いの言葉とさせていただきます。

ヒアリ・マダニ・ヤマカガシ…さすが！ ひとはく研究員

開館から25年以上を経た時期に、侵略的外来種ヒアリが社会問題として大きく注目されました。その際、ひとはく研究員が、即刻ラジオ出演するとともに、館にて緊急展示をしたことに敬意を表し、研究員を褒め称えています（書き下ろし　２０１７年8月）。

侵略的外来種ワースト１００選定種で、かつ、特定外来種であるヒアリが、神戸や尼崎の湾岸地域で、立て続けに発見されたことは、衝撃的なニュースとして報道されました。兵庫県立人と自然の博物館（ひとはく）の研究員、橋本さんたちは、国内外で、これまでに蓄積した知識や経験を生かして、ヒアリの発見現場で各種調査に参加し、指導的役割を果すと共に、新聞・テレビなどマスコミで、客観的・学術的なコメントをして、報道の分野でも活躍されていました。彼らの活躍ぶりを、博物館の社会的貢献であり、ひとはくの良いＰＲでもあると見守っていました。

その頃の出来事です。２０１７年（平成29年）7月19日の早朝、自分の車を運転中のことでした。その時は、休暇で趣味の釣りに出かける途中で、ＮＨＫラジオのニュースが流れていたのですが、思わず聞き入ってしまいました。何と！「兵庫県立人と自然の博物館で、緊急にヒアリの実物展示をすると共に、ヒアリの見分け方などについてのセミナーが開催される」とのニュースでした。具体には、7月１日から9月３日まで、緊急企画展「ヒアリとアカカミアリ」として開催されています。この間髪を入れない、速攻の姿勢に、思わず「ひとはく頑張ってるー！」と、館長であることを忘れてエールを送った次第でした。アリの専門家である橋本さんをはじめ、館員の皆さんの日頃の協働の成果であると、しみじみと思いました。

ひとはく25年にわたる日常の議論と実践、出来ることは直ぐに、館員の高度な自覚、事務方の全面的な支援など、これまでのひとはくの活動の成果であると思いました。後日、非常勤の館長である私が出勤した際、これらの詳細な経緯の説明を頂いた次第です。

その後、別の研究員の山内さんが報道ステーションに、マダニの問題で出演し、現場でマダニを捕獲するパフォーマンスや、非常に良いコメントをされているさまを見て、再度、「よしッ！」とエールを送った次第でした。私たちの身近な自然の中に存在し、感染症などを媒介するダニとして要注意です。これに関しても、「兵庫県の吸血マダニ」として、ひとはくで企画展が7月20日まで開催されていました。

橋本さん、山内さん共に、テレビでは、博物館での日常では考えられないほど理

ヒアリの増加についての説明、脅威となる繁殖力、兵庫県立 人と自然の博物館にて（ひとはく、橋本氏提供）、三田市

講習会の様子、細かい作業です、兵庫県立 人と自然の博物館にて（ひとはく、橋本氏提供）、三田市

路整然としていて雄弁でした。まさに、マスコミに上手く対応できる、進化した新しいタイプの研究者であると思いました。その後、宝塚、伊丹で、子どもがヤマカガシに噛まれた事件があったのですが、専門家の太田、池田さんたちは、台湾でのひとはく主催事業を推進中で留守をされていたので、残念ながらマスコミへの露出はできませんでした。

その後、8月6日、姫路で全県ため池フォーラムがあり、ため池の多面的機能など、新しい意味を話すように依頼されていました。会場に行く途中の新快速の車内から、山陽本線の土山駅付近のため池が赤く染まった様子が見えました。既に、アカウキクサがため池を覆い尽くす時期になっていました。困ったことです。「アカウキクサといえば鈴木さんの出番！」と想像するような年中行事になりつつあります？

従来から恐れていた侵略的外来種の侵入、在来種による病気の媒介、子どもたちへの生きものとの接し方の軋轢など、多様な問題が急速に表面化しています。生物多様性、外来種問題、生きものとのつきあいの仕方などの新たな局面です。今後、ひとはくの役割りが、ますます多様化すると共に、重要になるものと感じています。行動しながら考えよう！　出来ることはすぐに着手しよう！　ひとはく魂がまさに生きていると実感した次第でした。

「ひょうご五国の宝箱」をめざして

基本構想のはじめにです。この構想が、数年後の完成を目指して、いよいよ動き出しつつあります（人と自然の博物館構想計画　はじめに　２０１８年８月）。

情報社会が急速に進む中、人類が、文明が、長い時間をかけて蓄積してきた知や文化、そのものが変化し始めています。資料、書籍の電子化により「本物は必要ないのではないか？」このような議論も生まれ始めています。しかし、私たちが、全てを写し取ったかのように、本物を情報に変えることで、現存する「本物」を将来へ引き継ぐことになるでしょうか？

人と自然の博物館は、１９９２年（平成４年）に開館した兵庫県立の自然・環境系博物館です。県土の自然・環境・文化を解き明かし、県民の皆様の知的な生活を豊かにするために、思索し、行動し、提案する博物館として展開してきました。２０００年（平成12年）の「人と自然の博物館の新展開」では、担い手を養成し、活躍の場（キャラバン事業）を県下各地に設け、そこで収集した自然・環境の情報を用いて、更なる地域課題の解決に取り組んできました。２００６年（平成18年）の「新たな人と自然の博物館基本構想」、２００７年（平成19年）の『同・基本計画』に基づいて、県民の皆様が生涯学び続ける・学びあう場として、標本・資料を用い、いわゆる〝演示〟を中心とした場づくりや移動博物館車「ゆめはく」事業を始めました。いずれも、その根幹となるのは標本・資料です。本物の標本・資料に内在する迫力や価値が、人と自然の博物館で諸活動を展開するための基礎になっています。

現在、様々な自然・環境・文化に関わる標本・資料の収蔵点数は160万点以上（昆虫標本：936・4万、植物標本：417・5万、地学標本：64・0万、動物標本：22・5万、液浸標本：20・9万、環境系資料：7・9万、植物種子：5・6万、合計147・5万点）にものぼります。その中で、寄贈された標本・資料も多くあります。これらの中には、大学や研究所に籍を置くプロの研究者に加えて、在野の自然愛好家の方々が生涯をかけて、こつこつと集めてこられた動植物や岩石等の標本、文献、古写真なども多く含まれています。収蔵庫は、160万点の標本とともに、兵庫県の自然・環境・文化に関わってきた様々な人々の熱意と知への好奇心がぎっしりと詰まった、いうならば、県民の、そして「ひょうご五国の宝箱」なのです。

瀬戸内海から日本海まで広がり、様々な地形・地質・植生環境、都市や農山漁村を擁する兵庫県には、未解明の多くの謎が隠されています。人と自然の博物館の新収蔵庫棟は、多くの先人の手により集められ、引き継がれてきた本物のみが持つ価値を、「次代の兵庫県」に継承する宝箱になると信じております。ここには、今を生きる我々には、まだまだ想像できない新たな価値を秘めているものがあるといえます。

本基本構想の策定のために、博物館関係者のみならず、教育、都市（まち）づくり、地域経営など、多くの専門家のご協力を頂き、標本・資料の価値をすべての人と分かち合う、世界のどこにもない新収蔵庫棟の姿を描くことができました。活発にご議論頂いた委員の皆様に、心からのお礼を申し上げます。

全国初の農学・環境系専門職大学院から発信するハイブリッドな教育の展開

淡路景観園芸学校の専科コースが、最先端の専門職大学院研究科に衣替えしました。緑環境景観マネジメント研究科開設式典での、研究科長としての概要説明です（新研究科開設挨拶文　２００９年５月）。

冒頭にあたって

最初に、皆様方にご理解いただきたいことがあります。それは、緑環境景観マネジメント研究科が、今回専門職大学院として開設されたのですが、「今回、全くのゼロから生まれたわけでもなく」「研究科が単独でキャンパスに存在するわけでもない」ということです。

「ゼロスタートではない」ということは、背景に兵庫県立淡路景観園芸学校での専門課程の10年にわたる教育の成果、そして卒業生の社会での活躍という基盤があることです。この研究科は、この専門課程を発展的に移行させたものです。「研究科が単独でキャンパスに存在するわけでもない」に関しましては、新研究科の教育のみならず、このキャンパスでは「園芸療法の専門家教育」、そして「まちづくりガーデナーの育成」という全国的に類を見ない特徴的な教育コースがあります。これらが有機的に連携して教育が進められているということです。

さらに、兵庫県立大学自然・環境科学研究所の5系の一つとして引き続き連携していることも踏まえて申し上げているところです。

経緯

本研究科の前身であります淡路景観園芸学校は、今から丁度10年前に開設されたのですが、その背景には次の3点があげられます。

（1）20世紀後半から急速に関心が高まってきた「自然環境と調和した持続的な社会の形成」があります。

（2）「あの阪神・淡路大震災からの復旧・復興、さらには緑環境や地域マネジメントに貢献できる人材の育成」があります。

（3）兵庫県では、先進的に「関空土取り跡地の緑の再生」「尼崎21世紀の森事業」などに取り組まれていますが、まさに「自然と調和するまちづくり・地域づくり」を全国のみならず世界に発信し、その担い手の育成機関として淡路景観園芸学校が開設されたものと認識しています。

これらの実現のため、淡路景観園芸学校では全国に例を見ない新しい教育スタイルで教育活動を実践してまいりました。それらは、

□学校自体が公園のような美しいキャンパスであること

□そこで、座学に加えてより実践的な教育を進めてきたこと。

□全寮制で、24時間キャンパス内外の緑環境に触れることができ、人と人とのコミュニケーション能力を養うことができる。

などです。

しかし、このような考え方は当時の大学院設置の考え方にはそぐわなかった面がありました。今、思えば先進的過ぎたのかもしれません。

このような中、平成15年になって、国も高度専門職業人養成の必要性を認識し、専門職大学院の制度を発足させました。この制度が景観園芸専門課程として進めてきた方向と軌を一にすること、専門職大学院の制度を活用することにより、より充実した教育活動の展開が可能なことから、今回の専門職大学院の形態になったものです。

新研究科がめざすもの

新研究科では、これまでの実績をベースにして、さらに大学院として活用できるシステムを活かし、さらに教育研究活動を発展させていく所存であります。

修了生の進路としましては、これまでの行政、コンサルタント会社や設計事務所、そして建設業に加えまして、昨今、特に需要が高まってきています公共施設の「指定管理者」として事業展開を図る企業、CSRへの取り組みとして環境活動に熱心な企業などを、これからの主要なターゲットの一つとしてとらえ、教育活動をしていく必要があると認識しております。

このためには、これまで一般的な大学院教育の中心でありました「ものを計画・設計し、建設するための能力」に加えて、さらに「参画と共同のもとで市民とともに景観や地域づくりなどの構想を共有する能力」、そして「創ったものをどう活かすか、言い換えますと、適切にマネジメントし、真によりよいランドスケープを実現してい

緑環境景観マネジメント概論の講義風景、淡路市

キャンパスの風景、淡路市

く能力」が必要になってきます。

新研究科では、このような能力を備えた人材を「緑環境景観マネジメント技術者」と称し、「緑環境景観マネジメント修士」を授与することとしております。

そのために、マネジメント能力を習得する科目などの充実を図ると共に、教員につきましても学内外の多方面からの協力をあおぎ、更なる充実を図りました。カリキュラムにつきましても、将来の進路を見据えながら「保全管理」「活用デザイン」「施策マネジメント」の3領域を設定し、その中で基礎、応用、発展の3段階で円滑に学習のステップアップができる構成としています。

さらに、全体を通して、実践性を重視し、カリキュラムの6割を演習とし、現地調査や事例研究などを絡ませて、実務に直結する理論・技術の習得に配慮しています。

大学院となることで、海外からの留学生の受け入れが可能になりましたので積極的に留学生を受け入れ、ここ淡路の地で培われた教育・学習の成果が世界に向けて発信できるように努めてまいりたく存じます。

このようにして、多彩な人、組織、そして情報がクロスオーバーするこのキャンパスで、いわば「ハイブリッドな」教育を展開し、他の大学のどこにもいないような人材を育成していきたいと考えております。

私たち教職員は、今回の大学院化を契機としまして、今後も一丸となって、これまでの淡路景観園芸学校における10年の伝統と実績をさらに進化・発展させるべくまい進していく所存です。

淡路景観園芸学校開設20周年、緑環境景観マネジメント研究科開設10周年

園芸学校では、少子化の影響を受けて入学者数の減少などの課題がありました。設置者である県当局から、新展開の推進などを要求されていました。このような時期に、学長・校長として着任しました。記念式典での挨拶内容です（挨拶文　２０１８年４月）。

本日は、兵庫県立淡路景観園芸学校の開設20周年、ならびに、大学院緑環境景観マネジメント研究科の開設10周年の記念式典に、ご臨席頂きまして、ありがとうございます。開式に際しまして、ご挨拶申し上げます。

この10年、20年の間に、専門課程修了生３２６人、園芸療法課程修了者１９７名、生涯学習課程修了者４９６０人を社会に送り出すことができました。彼ら・彼女たちは、兵庫県各地での地域づくり、環境づくり、花と緑のまちづくりなどに大いに活躍頂いているところです。さらには、日本各地のみならず、ＮＹなど、海外でも活躍している卒業生も出てきています。

加えまして、最近、日本造園学会などの集まりや各種のシンポジウム会場などで、本学の卒業生が活躍している場面に出会う機会がとみに増えています。みんな積極的に頑張っているんだと実感できますと同時に、大変心強く感じている次第です。

このような卒業生の活躍は、本学教職員一同の努力の成果でありますと共に、学生の、教育や実践活動に、ご支援を頂きました地域の皆様、そして兵庫県ならびに関係市町の皆様方のお陰と、お礼申し上げます。

振り返りますと、20年以上も前のことですが、園芸学校の開設に際しまして、（貝原前知事の頃）阪神・淡路大震災からの復旧・復興の後、花や緑の環境や地域を、上手くマネジメントできる人材育成を主テーマとして議論していました。構想段階では、岩槻邦男先生、熊谷洋一前景観園芸学校学長（当時の造園学会長）、今西英雄先生（当時の園芸学会長）など、多くの方々に、大変お世話になったところです。

10年前には、専門職大学院、環境景観マネジメント研究科は、井戸敏三知事のもと、環境や緑に関しては、日本で初めての専門職大学院として、園芸学校の専門課程を基礎にして設置されました。

当時、兵庫県立大学の学長は故熊谷信昭先生でした。熊谷信昭学長と一緒に、文部科学省の設置審査会のヒヤリング会場に臨み、学長声明、研究科長予定者声明を披露したことを思い出しています。この声明文は、当時、神戸ハーバーランドにありました県立大学本部の学長室で、何度も推敲したりしました。熊谷信昭先生には、専門職大学院の設置にお世話になると共に、カリフォルニア大学バークレー校に匹敵する本学のキャンパス・ランドスケープを大変気に入っていただき、県立大学最初の全体記者懇談会をこのキャンパスで開催していただくなど大変ご支援を頂きました。この場をお借りしまして、故熊谷信昭先生に、心からのお礼を申し上げますとともに、ご冥福をお祈り申し上げます。

私が、本学学長として赴任しまして、漸くと言いますか、1年半が過ぎようとしています。10年前の専門職大学院の立ち上げと設置の頃と通算しまして、3年半程の本校での勤務となります。この度の学長赴任は、一昨年（２０１６年）度に策定されました、景観園芸学校の新展開を実践に移すためと理解しています。昨年（２０１５年）度は、そのための学内の組織整備や新展開の試行を重ねて参りましたが、本年度は、本格的な実施に移すことができました。

その中から、少し事例を紹介させていただきます。

既存の教員のさらなる活性化に加えて、新たに2人の特任教授をお迎えいたしました。古田先生は、岐阜県を拠点にしつつも、わが国のインバウンド実践の第一人者です。稲田先生は、シンガポール植物園、ガーデン・バイ・ザ・ベイなどを手がけられているランドスケープ実務の最前線におられます。加えまして、非常勤講師陣も多彩な顔ぶれとなっています。その中に、台湾大学教授のシェンリン・チャン先生がおられます。彼女はUCBで学位取得後、アメリカの大学で教鞭をとり、現在は台湾を舞台に活躍されています。専門は、地域づくり、地域活性化、大学と地域の連携を通じた新たな起業などです。

これらの方々に加えて、今年度はアメリカのルイジアナ州立大学から、ブルース・シャーキー教授を招聘することができました。この大学に4月から一年間の予定で、本学の嶽山洋志准教授を、客員研究員として派遣しております。

これまでに紹介しました方々と、園芸学校の教職員が協力して、ランドスケープの新潮流セミナー「地域経営とランドスケープ」を、外部講師を交えながら、神戸を中心にして3回開催致しました。これまで、計263名の方々に参加頂いています。本日の午後、淡路夢舞台国際会議場で第4回目「アジアでは今、まち・ひと・にわ」のタイトルのもとで開催します。これには、今、世界中からシンガポールの緑行政が注目されているのですが、このリーダーの1人であるレオン・チー・チュー氏、神戸市立森林植物園の名誉園長で女優の真野響子さん、岩槻邦男先生などに参加頂けます。

兵庫県の伝統作物栽培用の畑と、生物多様性の草地などを備えた、これまでわが国には存在しない、伝統作物栽培のための新しい形の植物園、新しい淡路のランドスケープを、本学の圃場で実現しようと議論しています。実現しましたら、新しい観光スポットになると共に、伝統作物の遺伝資源のレフュージア、避難場所、ジーンバンクとしても機能するものと期待しています。

これまで紹介いたしました試みは、地域の皆様や卒業生などの協力を得ながら、教職員の方々と共に、学校の研究・教育、広報普及、社会貢献活動の一環として進めてきたものです。これらの成果も関係したのでしょうか、お陰さまで、来年度の入学予定者は、後期入試前の時点で19名と、20名の大学院入学定員に迫る勢いです。

最後になりますが、本校の新展開は緒に就いたところです。10周年、20周年の節目を契機に致しまして、今まで以上に、新たな試みを前向きに推進していく所存です。

地域の皆様、造園・景観行政や実務関係の皆様、大学関係の皆様、そして兵庫県関係の皆様、景観園芸学校の新たな展開に、ご支援、ご指導の程、どうかよろしくお願いいたしまして、私の挨拶とさせて頂きます。

景観園芸学校の新展開

新展開の初期の内容を記してみました（書き下ろし　２０１８年）。

（略）…２０１７年（平成29年）度から、淡路景観園芸学校の学長・校長として赴任したのは、この学校の新展開（２０１６年度作成）を推進するようにと県当局から依頼されたためなのです。この学校には、兵庫県立大学大学院緑環境景観マネジメント研究科と称する2年制で全寮制の専門職大学院、県が独自で設置した園芸療法課程などが併設されているのですが、これらが学生募集でやや苦戦を強いられていました。

２０１７年度の1年間は、推進のための組織づくり、教員の意識改革や動機付け、次年度の予算作り、試行的試みの実践などを同時に進めていた準備期間でした。その間にも、各種試みは進んでいました。シンガポールの植物園などで活躍されている稲田さん、岐阜県等を舞台にインバウンドで活躍されている古川さんに特任教授として就任して頂きました。地域づくりの専門家で、台湾大学の張聖林（シェンリン・チャン）教授には、非常勤講師として参画いただいています。他にも多くの著名な非常勤講師の方々のお世話になっています。学校の国際化を推進するために、英語に堪能な高木さんに着任いただいたのですが、会話の中から、学校のホームページの刷新につながりました。

高木さんの紹介で、淡路にＩターンされた方や従来から島におられる方が組織されているハタラボ島協同組合を紹介して頂きました。２０１８年9月には、彼らの協力で、景観園芸学校のホームページを全面的に刷新することができました。

２０１８年（平成30年）度、ようやく本番の事業に着手する段取りとなりました。淡路景観園芸学校の新展開方策に基づいた諸セミナーが、全体テーマの「ランドスケープの新潮流」のもとで進んでいます。教員、インストラクター、事務職員が協力して、企画・立案、広報、運営をしています。５月に「地域資源を活かした魅力ある観光地域づくり」（40人）、６月に「植物園とは何でしょう?・」（１０１人）が盛会の内に進みました。７月は「アメリカン・ランドスケープの新潮流」（１１２人）と題して、ルイジアナ州立大学からシャーキー教授を招いてのセミナーとなりました。在外研究員として、ルイジアナに滞在されている嶽山先生も一時帰国されて、多彩なメニューを一緒にこなされました。10月13日は設立20周年記念事業と共に、「アジアでは今、都市・人・植物園」（１３２人）のセミナーが開催されました。これらの成果が「地域を強くする緑のデザイン」「植物を活用した地域づくり」（神戸新聞総合出版センター、２０１９年）として出版されています。このシリーズは、後３冊出版される予定です。

淡路景観園芸学校の新展開方策に基づいた諸セミナーの出版
（神戸新聞総合出版センター）

これからも淡路景観園芸学校の新展開事業は継続します。温かい目で見守り、叱咤激励を頂けますようお願いいたします。

淡路島　景観づくりの取り組み

淡路島環境総合特区の指定を受けるために、井戸知事さんたちと中央官庁に陳情に行ったことがありました。農林水産省で当時の山田大臣に、私の名刺を渡しました。これが契機になって、本稿の執筆に繋がりました（雑誌島へ　２０１０年12月）。

島への憧れ

農家に生まれた筆者は、これまでの人生の殆どを田園地域で住み続けてきました。子どもの頃の原体験の場は、田畑、河川、ため池等でした。この暮らしの中で、島に関して淡い憧憬を持ち続けていました。故人となった両親や近所の人々と、小・中学生の夏休みに海水浴のために出かけた小豆島、大学時代、同級生と共に訪れた隠岐の島、新婚旅行で訪れた徳之島、島の固有種であるレブンアツモリソウを見に出かけた礼文島……、島々の懐かしい思い出は尽きません。このような経験を背景にしながら、島の景観形成について考えてみます。

景観　その意味の変容

画一的な開発によって地域個性が失われていく中で、地域固有の自然や地形を基礎にした人々の生業、生活、風土により醸し出される棚田や里山や集落等の地域特有の景観の重要性が、この数年間で見直されるとともに、その保護・保全・活用の必要性が認識されつつあります。それは「文化的景観」「生物多様性」等の新しい概念が、景観形成に深く関係しているからです。これらを有効活用した地域固有のエコやグリーンツーリズムの展開が、地域活性化のために期待されます。

人々の、地域での生活や生業、風土により形成された特徴ある典型的な景観地のことを「重要文化的景観」と称しています（文化財保護法、２００５年施行）。これには、①農耕、②採草・放牧、③森林の利用、④養殖いかだ・海苔ひびなどの漁ろう、⑤ため池・水路・港などの水の利用等にかかわる景観地が当てはまります。２０１０年現在で、21の重要文化的景観が指定されています。島や海に関するものとして、宇和島市の遊子水荷浦の段畑（愛媛県）、久礼の港と漁師町の景観（高知県中土佐町）、平戸島の文化的景観（長崎県）、小値賀諸島の文化的景観（長崎県小値賀町）、天草市﨑津の漁村景観（熊本県）等があります。地域固有の多様性に富んだ文化的景観の重要性を再確認し、それらをマネジメントする時代になっています。

この流れと呼応するごとく、生物多様性の保全と持続可能な利用に関して、国の施策の目標と取組の方向を定めた「第三次生物多様性国家戦略」が閣議決定（２００７年）されました。折しも、２０１０年は国際生物多様性年で、名古屋を舞台にＣＯＰ10が開催されたことは記憶に新しいことです。国家戦略の中で、生物多様性に関わる三つの危機が提示されています。特に、第二の危機とされている「里山や田園への手入れ不足による伝統的な自然への働きかけの喪失」は、これからの景観形成に深く関与するものです。かつて、私たち日本人が保有していた当たり前の自然、何処にもあった自然を、住民参画のもとでどのように回復し、維持運営していくかが、これからの地域の景観形成と深く関わるのです。まさに、時代は地域の自然や景観のマネジメントへと移行しています。

淡路島　景観づくりの系譜

淡路島の豊かな緑の景観を持続し、より特性を発揮するために、県と市民等が協働して取り組んできた試みを紹介します。ランドスケープ・プランニングのタイトルのもとで、１９９０年代頃から、淡路をはじめ、摂津、播磨、丹波、但馬地域で、ランドスケープ地図づくりが開始されました（プロセスアーキテクチュア127、ランドスケープ・プランニングの手法、70—76）。各地域の風景特性を抽出し、守り育てる方向性を見いだすことが目的でした。この時期は、高度経済成長期であり、都市からの高い開発圧が地方に押し寄せていました。淡路島の海岸域の多くがリゾート群になるのではないかとの懸念のもと、海からの風景を重視するために、漁師からのヒヤリングを通じた山立ての目印の山々等、海風を配慮した屋敷や棚田の防風林、岬地形を巧みに活かした風待ちの港や漁村風景、魚付き保安林、松林（写真１）

写真１　慶野松原、海岸林、南あわじ市

写真２　黒岩水仙郷からの沼島遠景、南あわじ市

などについて議論し、淡路島の景観づくりについて提言しました。

1995年1月17日に発生した阪神・淡路大震災は甚大な人的、物的な被害をもたらしましたが、復旧・復興の道筋がついた頃、「兵庫県景観復興マスタープログラム」（兵庫県都市住宅部、1998年）が策定されました。これに続いて「震災をのりこえ、県民が選んだ伝えたいふるさとの景観」（兵庫県県土整備部、1999年）を「復興に際して、地域固有の景観を大切にするまちづくりを進めるため」に広く被災地の県民から募集され、最終的に405景に絞り込まれました。淡路島では「伝えたいふるさとの景観」として、

写真3　畑の中に佇むタマネギの乾燥小屋、南あわじ市

写真4　沼島神社春祭り（だんじり）、南あわじ市

写真5　延縄の補修風景（林ひろみ撮影）、淡路市

①海（写真2沼島）、山、田園風景（写真3タマネギ畑）などの自然物の景観が40、②次いで、社寺や現代建築などの建築物24と漁港や石垣などの構造物・工作物の景観22、③生活風景では、祭事（写真4）やイベントなど生活観あふれる景観（写真5岩屋）が11選定されました。淡路地域での住民の皆さんの自然や歴史にかかわる風景観を再確認すると共に、この成果は、震災後の復興まちづくりや区画整理地域での景観形成に応用されています。

その後、淡路島では、「淡路花博ジャパンフローラ」（２０００年）が開催され、花の名所づくり、沿道の花緑による修景、住民組織による花壇造り等、美しい景観づくりが市民と行政との協働で進みました。この過程で、バーベナあわじ等の花や緑をテーマにした住民組織が着実に成長してきました。

淡路島　景観づくりの今後

多くの多自然居住地と同様に、淡路島でも人口減少、少子・高齢化の大波が打ち寄せてきています。この中で、島民、ＮＰＯ、団体、企業、行政が一緒になって、「食と農の持続」「エネルギーの持続」「人生の持続」のテーマのもとで「太陽の恵みを生かした島人による新たな国生みの実践」として、島の活性化の道を探るプロジェクトが２０１０年5月から開始されました。これを支える景観づくりのために「淡路島景観づくり懇談会」が、学識者、

写真６　あわじ花さじき、淡路市

写真７　交流風景、沼島、南あわじ市

住民、ＮＰＯ、学生、行政などの参画のもとで組織され、「文化的景観」「生物多様性」等の観点も踏まえて、景観の再発掘、景観の再認識、そして景観づくりについて議論が進んでいます。自然がつくりだす景観、歴史がつくりだす景観、都市がつくりだす景観、生活・文化がつくりだす景観を基礎にして、未来につなぐ淡路島らしい景観づくりが進みつつあります。

景観づくりは地域づくりともいわれますが、多くの島々は多様で、豊かで、個性ある自然、歴史、文化、芸能、まちなみ、産業、生業などの特性を保有しています。島独自の雰囲気や景観、風情の持続・復活・創造は、交流や各種ツーリズムの基盤であることは言うまでもありません。これらを、行政や外部団体などから支援を受けつつ、住民、ＮＰＯ等の住民組織が主体となって持続可能な状況でマネジメントし、さらには経済活動にまですることが、島の活性化の基礎になるものと考えています。

わが都市（まち）の博物館

お祝いの原稿の中で、小さいとこ博物館ネットワークの提案をしたことを回顧しています（登録博物館認証のお祝い原稿　２０１７年２月）。

環境学習施設として、環境活動の拠点として、都市（まち）づくり拠点として、そして、わが都市（高槻）の博物館として、あくあぴあ芥川を大切に思っています。自然系のみならず、各種の博物館は、成熟した都市にとっての誇りであると共に、都市の品格を醸しだす文化施設として必要不可欠です。この3年にわたる積極的な活動の成果が、博物館法に定義された登録博物館として認められる基礎になったと思います。漸く一人前の博物館、高槻市立自然博物館になられたのだとお祝い申し上げます。

第１回小さいとこサミットの様子、あくあぴあ芥川（高槻市立自然博物館）、高槻市

２００９年（平成21年）４月、あくあぴあ芥川での連続講座で、「小規模博物館の良さを広く情報発信し、より地域に根ざした元気な博物館になって行くために、『小さいとこサミット』を開催しては！」と提案をしたことがありました。これを受けて、

２０１０年2月に、あくあぴあ芥川で、「小さいとこサミット～小規模館園のつどい～」が開催され、40名くらい？の参加があったとのことでした。今では、立派に成長して、自律した小さいとこ博物館のネットワーク活動が展開されているものと大いに評価する次第です。造園界の大先輩に田村剛先生がおられます。「風景の善し悪しの差は、風景そのものによるよりも、見る人の教養の差による」と記述されていましたが、まさに小さいとこ博物館の皆さんたちは、私の提案を上手く受け入れて実践されたと思います。

単体としての博物館活動は、当然のこと重要ですが、ネットワークとして、その要としての役割も重要です。今後のさらなる発展を期待申し上げます。

第8回小さいとこサミット ―弥生博物館にて―

小さいとこサミットが活性化するにつれて、中から大規模の博物館関係者が参加してきています。何か小さいとこの設立意図が崩れつつあるのではとの心配を表明しています。私の嫉妬心からでしょうか（挨拶文　２０１７年２月）。

…本日は、第8回小さいとこサミットおめでとうございます。当初、誰も、ここまで来るとは思ってなかったと思います。弥生博物館の皆様は、信太山駅からのサインの設置などにご苦労されておられるように思いました。

エコ、フィールドミュージアムが、活性化しつつあります。私は非常勤の館長ですが、現場に良くでています。２／８の兵庫県主催の環境担い手サミット、２／11の人と自然の博物館での共生のひろば、２／13今日の小さいとこ第8回、２／16は全科協（全国科学博物館協議会）の総会が京都の鉄道博物館であります。ようやく、小さいとこ、市民博物学が一般化してきたように思います。廃館検討がされた頃が思い出されるでしょう。博物館の展開には、近隣異業種の動向を見ようと提案しています。ＵＳＪのユニバーサル・ワンダーランドは、幼児の知育につながるといわれています。ここでは、ゴルツマン理論を用いてデザインされたとされています。彼女は古くからの友人でして、平成3年ごろに『Play for All』を『子どものための遊び環境』（鹿島出版会）として翻訳しました。私は、指定管理者制度について、それほど良く思っていない面があります。有能な人材が育たないという課題があります。

今日のテーマ、つらなる、つながるですが、何とつながる、分かち合う？　同業者と？　異業者と？　も考えてください。Linking people, linking parks　や Healthy park, Healthy people も参考にしてください。都市公園分野では、公園ＰＦＩなどの発想で、公園に保育所、コンビニなどが建設されるかもしれません。

今日、感じていること、申し上げたいことは次の事項です。（小さい博物館が）大きい（大規模博物館）ところと本当につながるの？　同業者だけでつながるの？　市民研究を大切にということです。

ひょうご環境担い手サミット

兵庫県公館の大会議室で始まったこの会が、第3回目までこぎつけました。回を重ねるごとに、小、中、高校の生徒たちの参加が増えてきています。会場は、神戸市内にあるデザイン・クリエイティブセンター（KIITO）を使用しました（趣旨説明の原稿　2018年12月）。

“かにって、すげえ”あいおいカニカニブラザーズ、ひょうご環境担い手サミット、神戸市（兵庫県環境政策課提供）

アサギマダラを上野台に、三田市立上野台中学校、ひょうご環境担い手サミット、神戸市（兵庫県環境政策課提供）

私には、年間に3つの非常に大切にしている楽しい集まりがあります。

一つは、ひとはくで、もう何年も続いている共生のひろばです。参加して頂いた方もこの会場に多くおられると思います。

もう一つは、小さいとこ博物館ネットワークというマイナーな集まりです。平均5人以下の職員の博物館、美術館の関係者が

ひょうご環境担い手サミットのポスター、神戸市（兵庫県環境政策課提供）

集まってガヤガヤやっています。関西から始まったのですが、この頃は関東や北海道からの参加者も増えてきました。展示の回し合い、備品の貸し借り、情報交換など工夫を凝らしながら自然に楽しく進んでいるようです。事務局も、会長もなく、自然発生的な集まりです。私は、開会の挨拶や懇親会の乾杯を担当しています。

そして、この環境担い手サミットが重要な年末を締めくくるイベントとなりつつあります。私だけではなく、皆様の年末の恒例の行事として共有できるようになれば素晴らしいと思います。複雑化、多様化している今日の環境問題の解決には、一人一人の行動はもちろんのこと、人と人、地域と地域など、環境をつなぐネットワークが必要です。

今日は、そのために様々な分野で活躍されている担い手の皆様が、世代をこえて相互につながる場として、第3回目のひょうご環境担い手サミットが開催されたと思います。

午前中は、3つの分科会に分かれて18団体による口頭発表があります。口頭発表は、すべて小・中・高・大学生の若者による発表です。斬新で生きのいい発表と期待しています。午後のグループディスカッションに、うまくつながればと思います。なお、昼食は県立淡路高校のすき焼き丼をはじめ5つの団体にお弁当を提供していただきます。

午後のポスター発表は、41団体から行われます。個別に詳しく聞けるチャンスですから、どんどん質問や

37 人のファシリテーター、参加者約 400 人の大ミーティング、小学生から90 歳の高齢者までが参加、神戸市（兵庫県環境政策課提供）

意見を交わし、交流を深めてください。また、5つの団体による体験ブースもありますので、新感覚を　体感してください。

最後のグループディスカッションは、昨年のサミットで議論していただいた「2050年環境未来予想図」を、〝子ども〟〝ふるさと〟〝生物多様性〟〝循環〟〝地産地消〟の5つの分野に分けて、それを「ほんと」（実現）にするためのアイデアを出し合って協議していただきます。

参加者の半数が小・中・高・大学生の若者です。高齢の方々と共に、活発な議論が繰り広げられ、先輩世代の知恵と経験が若者に引き継がれ、また、若者の斬新な意見が先輩世代の活動にインパクトを与える場になることを期待しております。

本日の主役は、この会場にお越しの参加者の皆様です、皆様のご協力と行動で実りあるサミットになりますよう、よろしくお願いいたします。

２００５年5月、東京大学本郷キャンパスで開催された日本造園学会総会の場で、学会長に選出して頂きました。前学会長の田代順孝先生（当時、千葉大学教授）のご尽力の賜物であると感謝しています。関西からは、中村一先生（元、京都大学教授）、安部大就先生（元、大阪府立大学教授）に次いで、３人目の学会長になりました。当時、少子化の余波を受けて、新入学会員の減少が続き、これに応じて学会費収入が低迷していました。一方で、学会員へのサービスは、学会費１００%を返還するサービスのレベルで継続していました。それ故、学会費未納分が、赤字として累積し続けていました。

就任直後、事務局体制の立て直し、赤字の解消、会計の更なる健全化、学会事務の合理化・電子化など、多くの課題が山積していました。これらを解決すべく学会理事会で多々議論したのですが、毎回、理事会の出席率は9割を超えていました。後から聞いた話ですが、理事の多くの方々が、課題を共有し、解決すべく、熱心に協力して行動して頂いていたとのことでした。この頃は、副会長の涌井雅之氏、有路信氏、理事の島田正文氏（日本大学教授）、横張真氏（東京大学教授）などから、多大なご助力を頂きました。金岡省吾氏（富山大学教授）には、学会の事務全般にわたってお世話になりました。今も、これらの方々との交友関係は継続しています。加えて、学会事務局を担って頂いてきた松崎順郎さん、芹田留美さんには、公私ともに大いにお世話になりました。

この頃に書き綴った原稿を中心に集めてみました。6本のうち5本は、学会長として執筆したものです。学会長として、幾重もの重荷を背負った私の苦悩をご理解いただくとともに、これらの内容も、マネジメントの風景の一環として読んでいただけたら幸いです。最後の1本は、これまでの苦労とは逆に、栄えある日本造園学会上原敬二賞を頂いた際に、会場の皆様に申し上げたお礼の挨拶文です。

学会長所信

学会長就任直後、ランドスケープ研究誌に掲載した「学会長所信」です。読むたびに、当時の緊迫感、緊張感、孤独感などを思い出しています。当時、提案していた事項は、今では、大方は実現されているようです（ランドスケープ研究　２００５年）。

日本造園学会は、人間生活環境や自然環境などの領域で、学術、技術、芸術の各観点並びに統合的観点から、先輩諸氏の卓越した先見的知見のもとで、80有余年にわたりパイオニアとして、先導的な発展と歩みを続けてきました。この成果は、社会に対して、学術、技術、芸術の分野から大いに貢献し続けていることは言うに及ばない事実です。

成熟社会、環境の世紀といわれる今日、日本造園学会の果たすべき役割は、ますます重要性を増しつつあります。歴史、文化を包含した自然や都市の環境・景観、それらを構成する都市、広場、公園、庭園、緑、植物、生きもの、さらには都市再生、自然再生、生物多様性、外来種、在来種など多様な分野が、学会活動の対象領域であることは言うまでもありません。これらに加えて、人間生活の質、住民の参加や運営などを基礎にした、まち、地域、公園・緑地、里山、棚田、ため池・河川・湖沼、さらには公園・街角・道路沿いの花壇などのマネジメントも重要な課題になりつつあります。これらを担う人材育成としての環境教育・学習、生涯学習などの重要な課題があります。日本造園学会は、新しい公、参画や協働などの概念のもと、前記の分野での専門職能集団として、リーダーとして、ますます存在意味が重要になり、その活動に、社会からますます期待されるものと確信しています。学会員の皆様と共に、新しい世紀の新しい環境創造に、学術、技術、芸術の観点から貢献できることを念願する次第です。

一方で、少子・高齢社会の到来は、従来からの潜在的学会員、いわゆる見込み会員数の減少を意味し、学会員の減少が懸念される事態が到来しつつあります。また、会員が増加すれば、学会活動や会費が増大するという、これまでの成長と拡大を前提とした考え方に破綻を来しつつあります。全ての学会員に対する学会費相当分のサービスと、いわゆる未納会費会員の増加は学会の財政状況悪化の一因となっています。

今一度、学会員が学会に所属することのメリットは何なのかを再確認する必要がある時期に到っています。従来から、会員のメリットとして、会員としての学術的・社会的活動への参加、論文投稿・発表、学会誌の配布、各種情報の取得、セミナーなどへの参加、最近ではCPDへの参加、さらには履歴書への経歴の記載などがあげられるでしょう。しかし、既存会員、見込み会員が何を学会に期待しているのかを真摯に議論する必要があります。そのためのマーケティングや満足度調査が重要と思われます。名誉会員、正会員、学生会員、賛助会員、購読会員の諸兄、ならびに会員の所属する大学、会社、役所などの諸組織、さらに、これから何らかの形で学会と関係を持つ見込みがあると想定される個人、団体、NPO、NGO、民間企業、行政などの諸対象（顧客）を掘り起こし、そのニーズ&ウオンツを積極的に把握し対応する時期に来ているのではないでしょうか。これまでの学会活動の蓄積された成果を踏まえつつ、財政的課題などの解決を目指して、基本的な学会の活動方向として以下の二点を提案します。

第一は、財政、事務局体制、学会誌の電子化などの多くの課題が、ビジョン委員会などを通じて提示されていますが、これらを効率的に推進できる体制の確立を推進すると共に、着手可能なことは本年度からでも実施に移したいものです。特に、財政の立て直しは緊急の課題であると認識しています。

第二は、民間活動などでは当然の事として推進されている会員等の顧客満足度（会員満足度、マーケティング）の調査に前向きに着手し、学会活動に反映することです。これには産官学、さらにはNPOなどの多様な分野にわたる現会員の満足度やニーズ調査、これから会員になるであろう学生のニーズ調査が基本であると考えています。さらに、潜在的会員の発掘に関して、何らかの形で試行的に、地方大会の場で支部活動などと連携して試行・展開することを提案します。支部会員の諸氏には本来の支部活動に加えて、新たな役割を依頼する事になりますが、このような活動を通じて造園学会の存在を広く社会に広報・発信すると共に、潜在的会員の発掘につなげるために是非ともご協力を頂けることを切に期待します。

具体のターゲットとして以下の事項を推進すべく努力したいと考えています。

（1）早急に着手すべき事項として、①本年度予算の一割削減、②財務委員会的な組織の設置と会費前納、口座引落の検討と着手、③5号のCD化、本誌の電子化編集・新方式の広告の検討、④学会広報のウェブアップ、⑤事務局機能の充実などです。

（2）1～2年後に着手すべき事項として、未払い金返済計画、委員会機能再編・再統合、収益事業の展開、財務システム構築があります。さらに支部活動との連携、地方大会の新展開、顧客の拡大、市民、社会とのさらなる連携、民間基金導入、英文出版、セミナー開催等、収益性の増大などを推進することです。

（3）これらを推進するために、歴代会長などによる支援組織化や、各種委員会での広報や連携の機能拡充の必要性があります。例えば、広報情報委員会、社会連携委員会、国際連携委員会などが想定されます。

都市公園法60周年に思う　—造園学の歩みと展望—

造園学会長として、造園学の歩みと展望のサブタイトルで、日刊建設新聞に記述した原稿です（日刊建設新聞　２００６年５月）。

筆者もその中の一人なのですが、いわゆる２００７年問題の渦中に置かれている団塊の世代・造園人たちは、先輩から学び、後輩と一緒になって、都市公園法と共に育ち、学習し、造園の調査・研究・実践に邁進してきたといってもも過言ではありません。

思い返してみますと、この時期に、都市公園の種別、配置、誘致圏、利用の仕方、計画・設計、植栽、施工、管理など、多岐にわたる造園の領域が成長し、展開してきたのです。造園学、造園界の拡大・発展と相まって、都市公園法は、高度経済成長時代の公園面積の量的な拡大と質的な充実を推進し、今日のわが国の公園や緑空間の基盤を形成した原動力であり、推進エンジンの役割を果たしてきたのです。さらに、20世紀終盤から21世紀初頭にかけて、都市公園に関して、地域性の反映、都市美、エコロジー、そしてビジョンの共有や住民参加の必要性などの社会的要求が高まり、造園の分野では果敢に調査・研究・提言が進み、都市公園などの緑空間を舞台にした新たな公園の姿が誕生してきています。

１９９５年の阪神・淡路大震災では、参画と協働を通じた、都市公園が果たすべき安全・安心、コミュニティ形成の拠点などの本質的な役割を再確認することができました。加えて、これからは、地震のみならず様々な災害に対する都市公園の防災面での役割がますます顕在化するものと思われます。

今後、地球温暖化、生物多様性、環境教育・学習、生涯学習、安全・安心、コミュニティ形成など、公園利用者や地域からの公園に対する多様なニーズ群を発掘・発見・提案し、成熟社会、高齢社会といった社会潮流を先導し、開拓する「都市公園」やその「仕組み」を議論し、本格的に着手することが重要です。特に、ソフト面では、参画と協働の場としての公園の視点、公園を取りまく周辺地域や住民を重視した都市公園の経営・運営の視点の導入などが期待されます。つまり、都市公園とレクリエーション、福祉、安全・安心、防災、地域経済などとの「関係性」をさらに重視することです。

これらを念頭に置きつつ、既存の公園、新設の公園にかかわらず、ユーザーである市民、団体、NPO、企業などと行政との「参画と協働」を基礎にした都市公園の「ビジョン」の共有は、より良好な「マネジメント」につながり、都市公園を核にした地域全体の健全な「コミュニティの形成」につながるものと確信しています。

異分野・異業種交流の促進を！

造園学会長時代、博物館での自分の経験を通じて、造園界の皆様に異分野・異業種間の交流を勧める原稿です（一造会広報誌原稿　２００６年）。

昭和47年の日本造園学会への入会以来、造園学会での活動は、年なりに務めさせて頂いていたと思っていました。しかし、この度、造園学会長にご指名頂いて、今更ながらつくづく思うのですが、私自身、いわゆる本来の造園の研究や実践から、この10数年間、ややもすると疎遠になっていたような気がしてなりません。昭和60年代に「都市景観や自然景観」「屋上緑化と熱環境」「緑地の熱環境と人間行動」などの実践的な研究をしていた頃が懐かしく思い出されると共に、余計なことですが、時期が早すぎたと残念に思っています。

昭和末から現在までの、この10数年間は、いわゆる自然史系博物館である「兵庫県立人と自然の博物館」（兵庫県三田市）の設立準備から開館、そして運営に到るまでに、主要なエネルギーを注いでいたといっても過言ではありません。

皆様にとって「何故、造園の専門家が自然史系の博物館にいるの？」と疑問に思われるかも知れません。当時の貝原俊民兵庫県知事（日本造園学会特別賞受賞）たちが自然系と環境系が統合した博物館を意図されていたと、後日、人づてに聞いて、私自身も納得した次第です。余談ですが、館の名称も「人と自然の博物館」ということになりました。

平成2年から4年までを、造園の専門家が環境系の代表として博物館設立準備室で過ごしたのですが、自然系の多様な専門家との出会いは驚きの毎日でした。従来から普通に何気なく使っていた「生きもの、環境、生態系、生物多様性、外来種、里地・里山、ため池、多自然居住地など」の言葉がより新鮮な意味で見え始めてきたのです。また、この間に準備室長として在籍された霊長類学者の伊谷純一郎先生（故人）から、「チンパンジー、ゴリラを研究するには、まず環境を理解することが基本」と造園の本質でもある「場の理論」の話題を持ちかけられて、大いに感動したものです。今は、植物分類学者の岩槻邦男館長の下で「あなたは何年生きてますか？　生物多様性って何ですか？」等の話題の下、四苦八苦しながら楽しく博物館で過ごしてます（このヒントはDNA？）。10数年にわたる造園と生態学、霊長類学、植物分類学などの異分野の方々との出会い、議論、統合的研究と実践は毎日が緊張感に満ちワクワクしたものです。

また、さらなる博物館の活性化のために、「経営、経済、マーケティング、広報、顧客管理・満足度など」の異分野、異業種の方々とのコラボレーションは刺激的なものでした。恥ずかしながら、その時まで知らなかったのですが「損益分岐点、固定的経費、流動的経費など」の基礎的事項の学習から、最新の「関係性マーケティング」などの考え方にまで、多くのことを教わり、まだまだですが、博物館で試行的に実践することが出来たと自負しています。

私事ばかりを書いてきましたが、振り返って考えてみますと、これまで造園界で学んできた、造園の原点である関係性に基づいた場づくり、組織づくりを進めてきたように思います。要は、これまでに述べてきたことは造園界にとっての本質であり、かつてから造園家が、本来的に身につけ、実践してきた作法、技術であるということです。21世紀になり、少子・高齢社会のもと、緑などを通じた環境優先社会の実現が求められています。生物多様性や外来種問題、さらには身近な自然である里地、里山等の再生も急務です。造園家個人として、組織として、更なる異分野、異業種との交流を促進し、その核として造園家の皆様がご活躍されることを心から期待申し上げます。

美しい風景づくり

学会長としての年頭挨拶として原稿を書きました。今更ながら、やや散文的に描いたものだと感じています（グリーンエージ原稿　２００６年12月）。

（社）日本造園学会は、従来から学術、技術、芸術を三本柱にしつつ、公園緑地のみならず、都市や地域の緑などの社会基盤の整備促進に貢献してきました。今後共に、緑豊かな都市や国土づくりを推進し、支援していくことが主要な使命の一つであると考えています。

最近では、関係諸団体の皆様と共に、造園技術者の専門的な継続教育に係るＣＰＤ制度や登録技術者に係るＲＬＡ制度の導入などを積極的に推進し、社会との連携をより緊密にしつつあります。今後は、さらに一般社会との密な連携を推進する必要があると考えています。新しい時代、新しい社会における公園緑地づくり、風景づくり、都市・地域づくりに関係諸氏、関係諸団体、そして関連地域団体などと共に歩むことは最重要課題であると確信しています。美しい風景づくり、国土づくりに皆様と共に協働させて頂けることを祈念申し上げます。新春を迎えるに際して、これらのことに関連して、考えたこと、実践していることを紹介いたします。

最近、ふと思い出した一つの風景があります。かれこれ20年以上前のことになるでしょうか、それは、カナダ国、エドモントン市郊外にあるウエスト・エドモントン・モール内にあるアイススケートリンクで、明るい色のセーターとパンツといったお揃いのいでたちの高齢者夫婦が、子どもたちに混じって颯爽と風を切って滑っていた風景です。当時、30歳代の私は「格好いい…」「私もこの年になれば…」などといった憧れの気持ちを抱いて見ていた記憶があります。

今年、２００７年は、私もその一員なのですが、団塊の世代が地域・社会へ復帰をはじめる記念すべき元年です。彼らは、小中学校等で多人数クラスを経験し、大学の入試競争、70年安保、就職戦線、社会での様々な競争を経験した世代です。社会人になってからも、スニーカーミドル等とも称されながらも高度経済成長を支え、わが国20世紀社会の主要な動向をリードし支えてきた世代です。その人口は８００万人とも言われています。彼らの多くは、当時としては新しい家庭像である核家族を形成し、新しいライフスタイルを展開してきたのです。その中で、「それまでの観光」とは異なる国内外への旅行、ピクニック、ハイキング、キャンピング、登山、水泳、釣り、ゴルフ等と20世紀のリゾート社会を変化させ、リードしてきたともいえます。この世代が社会に戻るに際して、かれらの多様で充分な余暇時間を有効に使うための社会資本のストックは充分であろうか、特に社会の緑地資源は如何なものであろうかと考えるこの頃です。公園緑地に対して、これまでとは質的に異なる要求・欲求、行動が生じる可能性が高いと思われますし、思索し、提案し、行動する多くの高齢者が社会に戻り活躍する時期なのです。

このように考えますと、わが国の各地方で出現しつつある空地、緑地を有効に活用しながら、また都市内で老朽化した公園緑地を再活性化しながら都市景観や都市・地域づくりに向けて、新たに歩み出す絶好の機会であるともいえます。その際、生活者の顧客満足度、ニーズ&ウオンツなどの的確な把握なども重要な事項になるでしょう。市民、ＮＰＯ、団体、企業などと行政との協働、これを基礎に成熟した市民層の公園緑地などへの参加・参画、主体的運営は必要不可欠なことです。このような成熟社会での公園緑地づくりを基礎にした美しい風景づくりや、美しい都市・地域づくりへのスパイラルアップの構図がイメージできます。

突然、話題が地方に飛びますが、前記のことをやや具体に展開する事例の一つとして興味を持って推進しているプロジェクトがあります。但馬北部地域を視野に入れたコウノトリ自然博物館（仮称）構想が進められています。豊岡市がコウノトリの野生復帰で注目を浴びていますが、この構想では豊岡市のみならず周辺の但馬北部地域全体が博物館のフィールドとして議論されています。この過程で、かつてはコウノトリをツルと称して、ツルを見る茶屋があり、近在や遠来の人々が楽しんでいたことなどが古文書からも明らかになっています。まさに、温故知新、「新たな観光レクリエーション」としての体験経済的なグリーン・ツーリズム、エコ・ツーリズムが展開されようとしているものと思っています。さらに、有機農業やアイガモ農業との連携、里山保全活動との連携、河川の自然再生との連携、地場産業などとの連携が議論されています。これらのことは、既存の温泉、街並み、森林、里山、スキー場、海岸・海などの観光資源や自然公園や公園緑地などの公園緑地資源と連携しつつ、環境学習・教育の推進のみならず、環境経済の推進、地域づくりなどに大いに寄与するものと期待しています。

成熟社会の造園論

学会長として、参画と協働を基礎にしたマネジメント論に関する先駆け的な原稿です（グリーン・エージ２００５年12月）。

大学時代には、観光レクリエーション計画、土地利用計画、都市景観、自然景観、人間行動などについての調査、研究に携わり、博物館では、自然や環境の展示、集客や広報事業、セミナーや出前博物館とも言えるキャラバン事業などを企画、運営し、丹波の森公苑では、芸術、文化、自然など広範にわたる丹波の森構想の推進、21世紀丹波の森ビジョンづくりなどに関係して、地域づくりを地域住民の方々と共に実践する機会を得ました。学術研究の場、社会教育・生涯学習の場、そして地域での実践の場を歩み、徐々に造園の調査・研究から、地域づくりの現場、そして地域で生活する人々に近づいているように思います。造園の調査・研究、博物館活動、地域での実践、密接に相互に関連するこれらの仕事が真に水にあっていると感謝している今日この頃です。

本来、博物学は自然系学問の原点であり、ここから専門領域が動物学、植物学、遺伝学、解剖学、生態学などへと細分化し、遺伝子レベルまでへと分化しているのでしょう。動植物に関して、個体レベル、人間スケールで対応する統合の学が博物学であるならば、造園学との共通性は多々見いだすことができます。

私たちの庭園や公園は、地域の野外博物館とでも言えるのではないでしょうか。その理由は、造園材料としての植物や岩石などの諸要素、そして諸技術を地域から収集し、使い手の行動を配慮しつつ、それらを美的に、かつ機能的に秩序づけて配置したものであるからに他ならないからです。さらに、「縮景」「借景」の技法を思い浮かべるとき、庭園や公園は、地域全体を展示物として成立しているからです。学生時代に、安定な空間が「いえ」、不安定あるいは変化する空間が「にわ」と議論した記憶がありますが、「いえ」の安定した展示は博物館、「にわ」の変化する展示は庭園、公園、そして地域ではないだろうかと考えるのは手前勝手でしょうか。

ここ数年間来、国営明石海峡公園、北播磨田園空間博物館、コウノトリの郷公園、県立有馬富士公園、県立丹波並木道中央公園、東播磨ため池ミュージアム、国見の森公園など、多くの公園や地域づくり関係のプロジェクトに参画する機会を頂きましたが、全てのプロジェクトに共通している事項は、地域住民である県民・市民の「参画と協働」を基礎にして、策定するまでの「プロセスを共有」して、「運営計画」や「運営組織」まで策定し、実践に到っていることです。「ビジョン」を共有しつつ「マネジメント」までを策定の範囲としていることです。

２００７年問題を意識しつつ、成熟社会、少子・高齢社会における高齢者の第二の人生の生き甲斐、楽しみ方などを考えるならば、公園や地域を県民・市民が運営（マネジメント）することの重要性が再確認、再評価され、徐々にではありますが実践に移されているのでしょう。

一方で、手入れの行き届かない人工林に代表される森林の荒廃、高齢化や後継者不足による田畑の荒廃、ビオトープの保全創出やそのネットワークに係る生物多様性の確保、ブラックバス、ヌートリアなどの外来種問題への対応、イノシシやシカなどによる鳥獣害への対応など自然環境に関して課題は山積しています。

しかし、これらの課題に対処すべき処方箋はまだまだ見えてきません。また、自然環境にかかわる植生図や生きもの分布などの基礎データは希薄であると言わざるを得ません。

当然のことですが、再度、地域全体が造園空間であると確認するとき、「いえ」と「にわ」、そして「地域」へと、広範囲にわたって造園・緑の専門分野が果たすべき役割の重要性が再確認できます。市民、NPO、団体、企業、行政、専門家の参画と協働のもとで、地域全体が造園空間、あえて言い換えるならばエコ・ミュージアムとして活性化することが可能になります。庭、公園、河川、ため池、畦道、社寺、地蔵尊、棚田、里山、民家、集落、街並み、そして、人々の暮らし、生業そのものが重要な要素であり展示物なのです。これらの成果が、美しい日本を再構成する重要な基礎になることを大いに期待します。

(社)日本造園学会では、従来から造園の学術研究論文集、造園技術報告集、造園作品選集などの充実に加えて、自然・都市景観、ランドスケープ・マネジメント、ビオトープ、生態技術など多様な領域にわたる各種研究活動が学会員により進められています。さらに、地域に密着した支部活動が全国各地で活発に展開されています。既存の造園領域に加えて、成熟社会の造園領域を開拓し、支援し、推進する体制は整いつつあります。より多くの造園人の益々のご活躍を期待申し上げる次第です。

上原敬二賞

（社）日本造園学会から、憧れの上原敬二賞をいただいた際のお礼の原稿です（お礼の挨拶　２０１８年５月）。

この度は、有路信さん、森本幸裕さん、そして、わたし、中瀬に、伝統ある上原敬二賞を授与頂きまして大変光栄に存じます。関係の皆様方に厚くお礼申し上げます。本当にありがとうございます。

有路さん、森本さんも昭和45年頃の大学卒業と思います。思い返しますと、丁度70年安保の頃で、世の中が騒然としていた頃でした。それから約48年、半世紀にわたって、造園学会と共に、造園の研究や行政での施策に関わらせて頂きました。有路さん、森本さんとは専門も、行動する場も異なりましたが、この半世紀、付かず離れずの関係を保っていたような気がします。

ご指名でございますので、僭越ですが、中瀬が代表してお礼の挨拶をさせていただきます。

上原敬二先生のお名前は、学生時代に購入した樹木ガイドブックを通じて存じ上げました。また、大学院生になってから。日本風景美論を偶然に古書店で見いだし、上原先生がアメリカからお帰りになった後、景観計画を記されている項を見いだしたことがありました。１９４３年発行の著書に、アメリカの自然風景地を乱す立て看板公害の挿絵を掲載されていたことを印象深く覚えています。

また、上原先生は関東大震災後に、東京農業大学の造園学科設置に努力されたことを知ったのですが、私たちも阪神・淡路大震災後に淡路景観園芸学校を設置できたことは、どこか上原先生の意思に通じるものがあるものと感慨深いものがあります。

この淡路景観園芸学校には今も関わらせて頂いていますが、さらには専門職大学院、コウノトリの郷公園、丹波の森公苑などの設立にも関わらせていただきました。また、勤務先の一つであります人と自然の博物館、県立有馬富士公園では、設立から運営、マネジメントまで、多くの仲間と共に広範に携わることができました。その折々で、多くの造園学会の皆様にご協力を頂いたことを記憶しています。この場をお借りしましてお礼申し上げます。

既に70歳を超えてしまいましたが、シニアの研究者を卒業して、今後はアクティブ・シニアの研究者として、皆様方にご迷惑をおかけしないように静かに行動しようと考えています。

本日は、誠にありがとうございました。

Ⅲ　絆の風景

連鎖する恩師、仲間、若者との絆

日本造園学会（公益社団法人、大正14年（１９２５年）社団法人として設立）の機関誌に『ランドスケープ研究』があります。この誌上で「恩師からのバトン」と題する連載が企画されました。昭和30〜50年（１９５５〜１９７５年）頃の諸先輩のご活躍・ご苦労の様子を、直接ご指導いただいた学会員が執筆し、諸先輩方のご功績に敬意を表すると共に、現役の学会員や後輩たちに、当時の熱気を伝えることが、編集側の意図であると推察しています。その名誉ある第一回目の執筆者に、はからずも私を指名してくださいました。

当初、刷り上がり2ページ分の文字数で依頼されたのですが、内容を考える度にワクワクし、いざ原稿を書きだすと筆が走りすぎて、最終的に4ページ分の文字数になりました。長い執筆活動の中で、このような経験は、はじめてのことでした。さすが日本造園学会といいますか、編集委員会といいますか、この分量の文字数を容易に受け入れてくれたのでした。

私は、ランドスケープ人生の中で、大変にお世話になった恩師、久保貞先生（１９２２年生まれ）との話題を中心に論を進めました。その過程で、久保先生から、造園関係の多くの方々を紹介して頂き、お世話になったこと、仲間や後輩から支えて頂いたことを大いに感じていました。

兵庫県立人と自然の博物館（ひとはく）に移動（平成2年、１９９０年）してからは、「バトンの連鎖」ともいえるのでしょうか、お世話になった異分野の恩師の方々との出会いが多くありました。ひとはくで

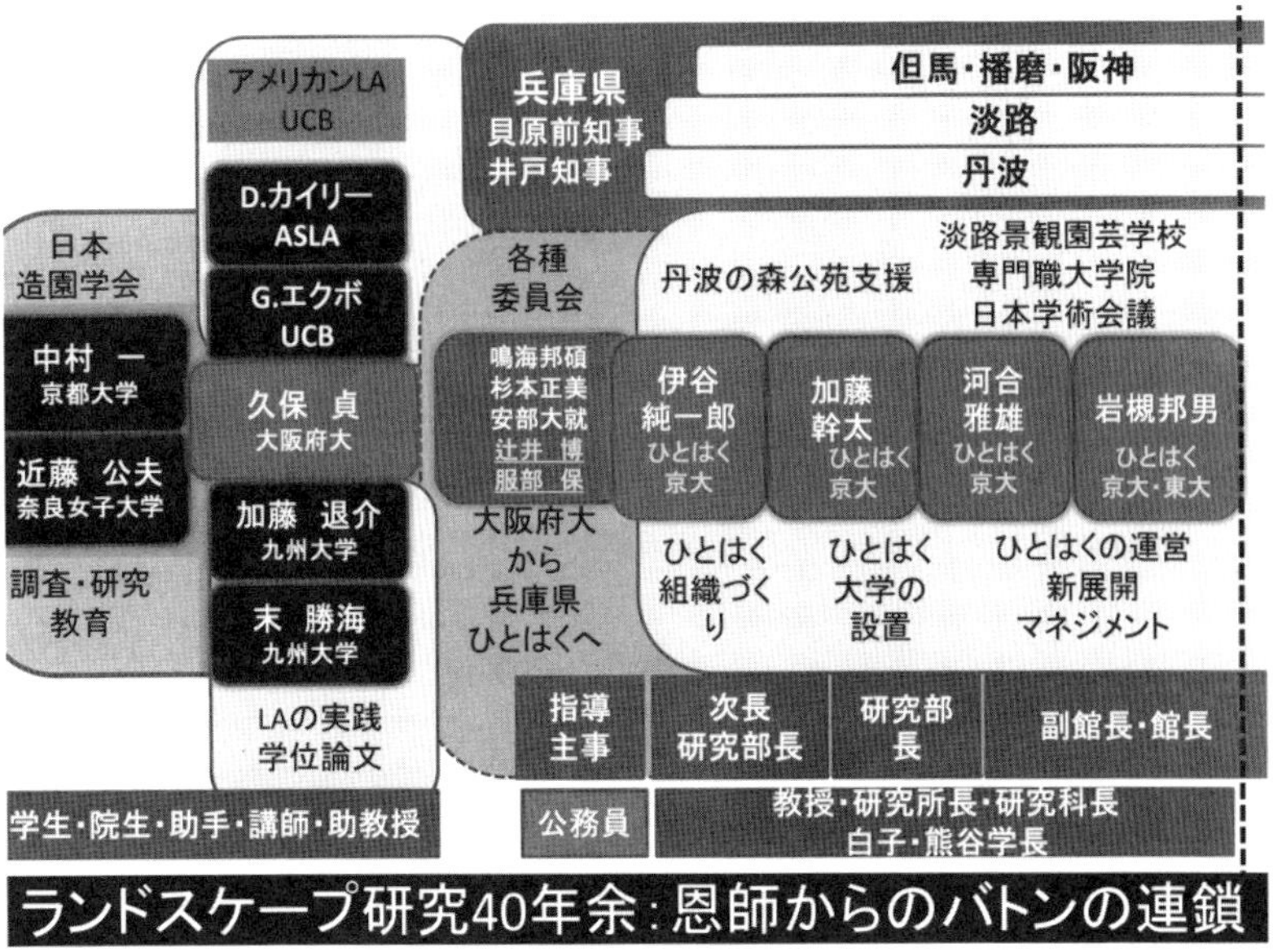

は、世界的に活躍された、あるいは、今も活躍されておられる著名な歴代の学者館長、伊谷純一郎先生（１９９０年）、加藤幹太先生（１９９１～１９９５年）、河合雅雄先生（１９９５～２００３年）、岩槻邦男先生（２００３～２０１３年）たちとの出会いがありました。各先生方の下で、楽しみながら博物館を準備し、設立し、運営する機会を頂きました。専門は異なるのですが、世界の一流学者の先生方と、日常的に議論できる場を経験したことは、大変な喜びであると共に、自分の考え方や発想の幅が拡大し、展開していく様を実感できる満足感に繋がっていました。

　ランドスケープと動物生態や霊長類と専門は異なるのですが、伊谷先生とは参考文献「社会科学における場の理論」（誠心書房）が一致したという感動がありました。研究の対象は「霊長類」と「いわゆる人間」と異なるのですが、双方とも、場の理解が必要不可欠な基礎になる概念でした。加藤先生からは、絶妙のコーディネーションの方法、河合先生からは、共生博物学、岩槻先生からは、共生や生物多様性などを提示していただき、博物館のみならずランドスケープに関しても、新しい概念で新たな境地を切り拓いていた時期でした。

また、貝原俊民前知事、井戸敏三知事から、ひとはくのみならず、丹波の森公苑、コウノトリの郷公園、淡路景観園芸学校などで、県民の皆様や学生さんたちと共に活動する機会をいただきました。県職員の方々、研究者のみならず、事務職員の皆さん方にも大いに支えていただきました。

久保先生からバトンをいただいたのですが、他にも、国内外の、多くの先輩方からバトンを引き継いだものと思います。しかし、私は後輩に、バトンを渡したのだろうかと考えることがありました。大阪府立大学、兵庫県立

新渡戸稲造　1862－1933
内村鑑三　1861－1930
宮部金吾　1860－1957

札幌農学校二期生

久保　貞
1922－1990

F.L.オルムステッド
1822-1903
BOSTO グリーンネックレス、NYセントラルパーク、イエローストンNP、スタンフォードCM

G·エクボ
1910－2000

中瀬　勲　1948－

唐突ですが、私は、新渡戸、内村、宮部先生の孫弟子！
さらにはオルムステッドの系統！

中瀬は宮部博士、F.L. オルムステッド氏の孫弟子？

大学、人と自然の博物館、丹波の森公苑、淡路景観園芸学校などに勤務したのですが、その頃の卒業生や関係者に加えて、非常勤講師で通った神戸大学、大阪大学、名古屋工業大学、鹿児島大学、大阪工業大学、関西学院大学などでの受講生たちに、本当にバトンを渡すことができたか否かと思うことがあります。日本大学、鳥取環境大学、甲南女子大学、中国清華大学、北京大学、中国農業大学、韓国漢陽大学、カリフォルニア工科大学などでの講義も思いは同じです。

お世話になった諸先輩の皆様、神戸市
熊谷名誉学長（淡路景観園芸学校）、鳴海先生（大阪大学名誉教授）、福田さん（兵庫県OB）、熊谷名誉学長（兵庫県立大学）、井戸知事（兵庫県）、岩槻名誉館長（人と自然の博物館）

「案ずるより産むが易し」の言葉通り、このような講義や博物館内外での各種講演会、博物館の諸プログラム、著書などを通じて、私が意識していない状況下で、バトンを引き継いでくれた方々がおられたようです。この頃、シンポジウムや講演会場で、「先生！あの時の講演、講義を聴いて、私はランドスケープをめざしました」という方に遭遇することが稀にですがあります。現役を引退した今、予期しないこのような出会いの瞬間は、私にとって最高の喜びでもあります。このようなバトンの受け渡しに関わる出来事などを、絆の風景と題して編集しました。いろんな場面で「偶然の出会い、別れ」が、私の想定している範囲外で起こっていたものだとしみじみと感じている次第です。

２０１５年（平成27年）秋から２０１６年秋にかけての、フランス人写真家、ルフェーヴル氏の写真展「風情―日本庭園」開催までの経緯は、私にとって、かつてない新鮮な驚きであり、経験したことのなかった劇的な出来事でした。残念なことですが、上杉武夫先生は、２０１６年1月、ご逝去されましたが、その前年の２０１５年秋、上杉先生ご夫妻がパリを訪問し、彼の地の日仏文化会館で、ルフェーヴル氏の日本庭園に関する写真展を見学して、氏と意気投合されたとのことでした。「是非、日本で氏の展覧会を！」との上杉先生のご意向から、２０１６年秋、人と自然の博物館、淡路夢舞台、京都御所会館での展覧会の開催になりました。その過程で、２０１６年1月に、上杉先生にお会いして、打合せをすべくカリフォルニア、ポモナを訪問したのですが、病状の悪化のためお会い出来ませんでした。その後、上杉先生から、写真展開催に関して、ご存命中の最後の手紙とメールを頂いたりしていました。

「上杉先生を偲ぶ会」を、大阪の会館で開催したのですが、その場に、上杉先生の奥様、ご子息、ご親族の方々とともに、大阪府大の卒業生や上杉先生にお世話になった造園人が集まりました。そこへ、ルフェーヴル氏が、パリから駆けつけると共に、氏のミニ写真展を、偲ぶ会会場で同時開催することができました。

その後、一連の写真展が成功裏に終了したことを、上杉先生の奥様にご報告したのですが、その返事に次のようなことが書かれていました。主人は「人と人を結ばせてもらう御用をさせていただいたのですね」、最後に「中瀬さんとルフェーヴルさんを結ばせていただいたのですね」とのことでした。加えて、写真展開催中、カナダの日本庭園でお世話になった橋本氏が京都の蛸薬師で、旧知である東京農業大学の鈴木教授が仙洞御所で、それぞれルフェーヴル氏と遭遇されたという話を後日談として聞きました。多くの人々を、上杉先生が結びつけていただいたものと感謝しています。

写真展が成功したのは、ひとはくの藤本、大平、塚本さんたちの研究員や事務スタッフ、淡路夢舞台の藤井社長や兵庫県職員、そして環境省京都御所の田村所長さんたち（当時）の絶大なご支援があったからこそと感謝申し上げます。

このような出会い、別れなどのエピソードを、ここでは「絆の風景」としてまとめました。

恩師からのバトン

―ランドスケープデザインの開拓、実践、そして社会化―

大阪府南部の堺市に位置する大阪府立大学農学部緑地計画工学研究室を専攻した昭和43年から、学部と大学院で４年、研究室の助手、講師、助教授として10数年、計20年以上にわたる濃密な師弟関係のもとで、久保貞先生から多くのことを学び経験させて頂きました。先生の御退官後、筆者は、程なくして、現在の兵庫県立人と自然の博物館の設立準備室に移動したのですが、久保先生からは、口にこそ出されませんでしたが「新しい分野でのランドスケープの展開」に向けて激励のエールを送って頂いていたような気がしています。

昭和の時代に、久保先生から学び、平成の時代に兵庫・三田の地で、新たな自然・環境系の博物館、兵庫県立大学自然・環境科学研究所等の設立と運営（マネジメント）に携わり、今日まで来られた経験そのものが久保貞先生からのバトンであると思っています。

久保貞先生　昭和45年３月教授室にて、堺市

近代的ランドスケープのキャッチアップと展開

昭和40年当初の大阪府立大学農学部で、久保

先生が創設された緑地計画工学研究室（Lab. of Urban Landscape Design）の名称には、学生にとっても、一般社会にとっても、ワクワクする「心地よい響き」があったように記憶しています。研究室には、カナダ・レスブリッジで日本庭園を完成させてきた杉本正美先生、アメリカ・バークレー帰りの安部大就先生、デザインセンス抜群の藤田好茂先生、気配り豊かな教務技師の片桐保子さんたちがおられ、後年にはカリフォルニア工科大学教授になられる上杉武夫先生が出入りされていました。新しい学舎、新しい研究室で、久保先生のもとに新進気鋭のスタッフが集結されていたのです。この頃、久保先生は、持ち前のグローバルな視野のもとで、時代が要求するランドスケープ分野を意図して、かつ、わが国の伝統と個性を尊重しながら、欧米へのキャッチアップを積極的に実践されていたと思います。この背景には、「海外経験の豊富な植物学者である宮部金吾博士（札幌農科大学、１８６０～１９５１年）らの影響が大きい」と良く口にされていました。北大、京大で学び、大阪府立大学で、来るべき日本の社会に備えて、新たなランドスケープの育成と展開を意図されていたのです。

御退官前の久保先生

　カリフォルニア大学バークレー校（ＵＣＢ）環境設計学部教授を長らく務められたＧ・エクボ先生ご夫妻らとの、家族ぐるみ、研究室ぐるみの親密な友好関係は、久保先生を語るのに欠くことのできない重要なトピックスです。久保先生は、当時の研究室スタッフ全員をＵＣＢ等のアメリカの大学に客員研究員等として派遣し、近代的なランドスケープ研究、教育、実践の方法を学ぶ機会を与えられると共に、ランドスケープの専門書の希薄であった時代に、J・O・B・サイモンズ氏著のランドスケープ・アーキテクチュア（Landscape Architecture）、G・エクボ氏著のアーバン・ランドスケープ・デザイン（Urban Landscape Design）、住宅の造園技術（The Art of Home Landscaping）等、多くの翻訳を手掛けられました。翻訳の機会を与えられた私たちスタッフは、辞書を片手に作業しながらも、学生たちと共に新鮮なランドスケープの息吹を全身で感じていました。さらに、この雰囲気を、成長しつつある社会に普及させようとの気概のもとで熱い議論を重ねていました。振り返ってみますと、スタッフ全員が、無意識のうちに自ら学習し成長していたと思われます。このような経験によって、久保先生の門下生は、日本では久保先生を、アメリカではG・エクボ先生を師と慕うようになり、自らグローバルな視野が養成されたのでしょう。

昭和40年半ばには、先生は、他大学に先駆けて大阪府立大学に海外客員教授招聘制度を導入し、数年にわたってアメリカのみならず世界のランドスケープ事務所の草分け的存在であるEDAWの創設者であるエクボ、ディー

御自宅のオフィスにて、エクボ先生、バークレー市

都田氏から送られた能面を付けるエクボ先生（都田徹氏提供）、バークレー市

ン氏、そしてコンウォール氏らを客員教授として招聘されていました。さらに、国内からは都市計画家の高山英華氏、建築家の槇文彦氏、鹿島昭一氏らを招聘し、国際的、先進的、実践的な教育、研究を進められていました。先生方の講義には、大府大生の他に、他大学の建築や都市計画等を専攻する学生が多く聴講に来ていましたが、このことは大府大農学部の学生にとっては誇らしいものでした。昭和47年には、カリフォルニア大学バークレー校環境設計学部との間で大学院生レベルでの交換留学生制度を発足させ、大学院生がアメリカでランドスケープを学ぶ機会を提供されています。その後、オーストラリアのロイヤル・メルボルン工科大学（RMIT）との間で学部生レベルでの同様の制度も展開されています。公式、非公式に、この制度の恩恵にあずかった多くの方々が、現在のわが国ランドスケープ界のリーダー的役割を果たしていることは言うまでもありません。

ランドスケープ計画・設計論の開発と社会化

久保先生が大阪府立大学に赴任されたころ、日本庭園研究に加えて、現在の最先端研究テーマであるベランダ緑化や微気象研究に至るまでの多彩な先導的研究に着手されていました。例えば、微気象、毛管給水、バルコニー及び窓辺に適した植物等をキーワードにした「アパート団地内に於ける植栽に関する研究―植物の取扱われ方について―」（1960年）等があります。

コンウォール先生（中央）と4年生たち　昭和44年頃、大阪府立大学、堺市

先生から御教示頂いた言葉は多々ありますが、意思決定等に関する「門番の理論」「聞きだしの技術」は、今も記憶に新しいものです。先生は、ランドスケープ計画論で、物理的な空間の計画・設計のみならず、「意思決定者」や「使い手側の心理的側面」に配慮することを常に大切にされていました。関連して、建築、土木、都市計画等のハードだけではなく社会学、心理学、経済学等のソフトな関連分野との「コラボレーション」を重視され、このことを講義でよく話されていました。晩年、先生からよく頂いた言葉は「遅疑逡巡するな!」でした。「計画とは、意思決定のプロセスである」と言われていたことを、今更ながら思い出しています。このように、総合学としてのランドスケープを、全体的事態から捉えようとする場の理論の考え方のもとで、人間行動、環境心理を重視され、情報処理、数量的理解を推進するように意図されていたのでしょう。

先生から直接に教えを受け始めた当時は、ランドスケープ・コンサルタント事務所の萌芽期であったためでしょうか、(近畿)地方整備局、府県、市や民間から多種多様な受託研究の依頼が研究室に来ていました。近畿圏の広域緑地配置計画、関西地域や中国地域の広域観光構想計画、近畿圏広域観光交通量予測、大阪府の広域土地利用計画、泉北ニュータウンの開発計画、伊勢志摩観光開発計画、淀川河川景観調査、夕陽丘や中之島都市景観調査、神戸市都市景観調査等枚挙にいとまがありません。全てのプロジェクトごとに、スタッフ、学生を含めて、大いに議論を戦わせながら、ゼロから新たな計画論を開発し実践していました。

広域観光構想計画では、観光資源のポテンシャル評価の方法や観光客の広域流動モデル等を構築しながら計画を策定していました。久保先生から、大阪万国博覧会への入場者予測で、著名なシンクタンクよりも、研究室の方が正確な値を出したということを聞いたことがあります。このこともあってか、研究室で依頼を受けて、近畿圏の広域観光流動量を記録紙付きの電動計算機を用いて何カ月も徹夜を重ねて予測したことがありました。

大阪市都市整備局から頂いた夕陽丘地区景観調査が、研究室での都市景観調査のきっかけになりましたが、思い出深いエピソードがあります。突然、教授室に呼ばれて、「有機感覚」をテーマにして景観研究を進めるように指示を頂いたのです。広辞苑には、有機感覚とは「体内の諸器官に異常のある場合、局所的または全身的に感じる漠然とした感覚。飢渇・寒気・疲労・呼吸困難・内部的痛感など。感情と強い関連性をもつ」と記されていますが、「これだけでは先生の御指示に応えることはできない。景観に関わる提案をしなければ！」と、研究室の杉本先生、安部先生たちと大いに遅疑逡巡した記憶があります。最終的には、「人々の五感や六感を媒介にして景観を把握すること」で落ち着いたように覚えています。結論が出るまで、久保先生から何かを聞きだそうと試みた会話の微妙なやり取りはスリリングなものであり、貴重な発想の経験として鮮明に記憶しています。この有機感覚が契機となって、後ほど述べるパソコンの進化もあって、研究室での景観研究が大いに進展することになったのです。

これらの研究が始まったころは、タイガー機械式計算器やソロバン、電動計算機、そして電卓が主流でしたが、程なくして各大学に大型計算機が導入され、フォートラン、コボル言語等を用いてプログラムを作成していました。久保先生はパソコンの導入をいち早く進められ、今では考えられないことですが2年分の研究室備品予算全てを執行して、大型プロッター、プリンター、ＲＡＭを装備した最新式のＨＰ製コンピューターを導入して頂きました。これには行列演算用のＲＯＭを追加することができて、多変量解析、因子分析、双対尺度法等には欠かせない固有値を求める基礎的なプログラムを容易に作成することができました。これによって研究室自前のプログラム開発が大いに進み、前述した多くの研究プロジェクトを推進することができたのです。後日、先生から研究室名に工学を付けたのは、「このような時代が来ることを意図していたからだ」と感慨深げに聞かされたことがあります。

久保先生が在任中の研究室の卒業生は数百人を超えていますが、その多くはランドスケープの専門分野に就職し活躍しています。学生の教育は、2年次の春休みから研究室独自の専攻演習が始まり、オンザジョブトレーニングを通じて、ランドスケープデザインを体得させ、卒論、修論に際して、研究方法論の構築から論文完成まで、独自で完結させる訓練を念頭に置いておられました。マーカー等を用いた手書きチャート、スライド、ＯＨＰと方法は変化しましたが、研究内容は当然のこと、プレゼンテーションの重要性を常に指摘されていました。社会の第一線でコンセプト構築ができて、丁寧にプレゼンができて、即、現場で実践ができる人材育成を意図されていたのでしょう。

加えて、日本庭園の造営を通じて、庭園のみならず日本文化の海外への普及を進められていました。サンディエゴ、ロサンゼルス（アメリカ）、レスブリッジ、エドモントン（カナダ）等の地で日本風庭園を数多く手がけられています。筆者は、エドモントン・アルバータ大学での庭園プロジェクトに参加させて頂いたのですが、久保先生は、造営後も現地の人々が容易に管理・運営できることを重視して、現地の材料、技術、人材の活用を強く主張されていました。それゆえ、日本庭園ではなく、現地の風土に適合した日本風庭園と称されていました。

このように、常に新しい計画論の開発、最新の解析技術の開発と最新機器の導入、そして伝統的な日本庭園の造園技術を海外に移植する等、幅広い視点からランドスケープの計画論・設計論を開発・確立し社会化することに努められました。

恩師の連鎖 ―引き継いだこと、展開したこと―

20世紀も残り僅かになった頃、アメリカの新しい社会で、伝統主義、形式主義、様式主義、折衷主義等からの脱却を唱えて行動されてきた久保先生の盟友であるG・エクボ先生から「私たちは20世紀ランドスケープのモダニズムに努力した。君たちは21世紀の社会で何をするのか？」と指摘されたことがありました。21世紀のランドスケープ界の新たな挑戦に向けての、久保先生、エクボ先生からの叱咤激励であったと思っています。

ここまで述べてきましたように、「門番の理論」「聞き出しの技術」、新たな計画論・設計論、新技術の開発と導入等に加えて、コラボレーション、国際交流、留学制度創設、組織づくり、組織運営等の仕組みづくり等、多くのことを久保先生から学んできたように思います。「事態を全体から見る統合的な発想」「社会を先導する現場での先進的・実践的な展開」「『遅疑逡巡するな』に象徴される迅速な意思決定のプロセス」、つまり「戦略的なマネジメント論」を大いに叩き込んで頂いたようです。

これらの発想を、今の職場である人と自然の博物館の設立から運営（マネジメント）に至る場面で、無意識のうちに実践してきたようです。自然系博物館ではありますが、自然系に加えて、生態系、計画系（造園、建築、都市計画、住居）の研究者が参加し、その研究者の多くが大学教員を兼ねるわが国では初のユニークな組織として、人と自然の博物館は平成4年に産声をあげました。

この背景には、「世界に冠たる博物館を創ろう」とのもとに、御指導頂いた霊長類研究の第一人者であった伊谷純一郎初代準備室長の存在は欠かせませんし、設置者であった当時の貝原俊民知事のたぐい稀な思想と構想力があったからです。以降、加藤幹太、河合雅雄、岩槻邦男先生といった一流の学者館長に恵まれて

20年目を迎えた今、人と自然の博物館は既にキャッチアップを終え、「県民とともに思索し、行動し、提言する」博物館をモットーに、「胎教から墓場までの生涯学習を支援する博物館」として、新たな展開の第二段階へと踏み出すに至っています。

兵庫県立大学の教員が人と自然の博物館を兼務するシステムを提示し、実現に導いて頂いた兵庫県社会教育文化財課長の中根課長、村田課長（当時）、これを快く受け入れて頂いた姫路工業大学の白子学長（当時）をはじめ多くの皆様に厚くお礼申し上げます。

人と自然の博物館の開館以降、淡路景観園芸学校の開設とその後の専門職大学院化（兵庫県立大学専門職大学院緑環境景観マネジメント研究科）への参画、丹波の森公苑の開設と運営、コウノトリの郷公園の開設、森林動物研究センターの開設支援等に携わる機会を得て、ランドスケープのより広範な社会化、一般化の実践を県民の皆様と共に現場で進めさせて頂いています。これらの過程でも、各分野の第一人者である岩槻邦男、熊谷洋一、河合雅雄、林良博先生たちの御指導のもと、「参画と協働」を通じた美しい県政実現を標榜する井戸敏三知事をはじめとする兵庫県関係各位の全面的なバックアップがありました。

これらの博物館や森公苑、園芸学校等を核にして、ランドスケープ社会化の実践をはじめ、多自然居住地域での持続可能なまちづくり・地域づくり、県・市町・民間等での生物多様性戦略の策定、学校や地域での環境学習等の支援を積極的に推進しているところです。

久保先生の講義の中で、博物学、植物・動物学、分類学、遺伝・育種学、生態学、そして分子生物学と植物に関する学問が展開する中で、博物学の重要性を力説され、造園学を生態学と並んで位置づけられていたことは記憶に新しいことです。全体的事態を取扱う博物学の重要性、群として植物を扱う生態学と造園学との類似性、関係性を意識されていたのでしょうか、今の立場になって忘れられない先生からの教えです。よくよく考えてみますと、久保貞先生から始まる恩師の連鎖に恵まれて、ランドスケープの新たな関係分野を知り、学び、かつ実践させて頂いているように感じています。

私の恩師：久保　貞　先生

１９２２年札幌市生まれ。１９５１年北海道大学大学院修士課程修了、１９５５年浪速大学（現・大阪府立大学）助教授、１９６１年大阪府立大学教授。この間に、アメリカ、カナダ等に10数回出張。１９６０年林学博士（北海道大学）。１９８６年日本公園緑地協会北村賞受賞。コルク栓のキリンビール小瓶、レッド・アイを愛した。

若者との絆

今から30年程前のことになります。サンフランシスコでのアメリカ造園家会議（American Society of Landscape Architects）の大会後、私たちがインタビューを希望していたアメリカを代表する5人のランドスケープ・アーキテクツに対して、大府大時代の先輩、都田徹さんと滞在していたホテルのビジネスセンターから、ファクシミリを用いてアポイントメントを取ったり、質問事項を送ったりしていました。思い返しますと、懐かしく、かつ大胆な行動をしたものだと思います。

ピーター・ウォーカー氏は、ハーバード大学の施設でのインタビューになりましたが、それ以外の方々は、自宅に訪問して、食事を頂きながら、時にはアルコールも入った楽しいインタビューとなりました。この実現の背景には、G・エクボ先生、久保貞先生たちのご支援があったからこそと感謝しています。

これらの成果をまとめて、『アメリカン・ランドスケープの思想』（鹿島出版会、都田、中瀬共著、1991年）として出版しました。そのサブタイトルを「ランドスケープ・デザインを志す若人へのメッセージ」としたことが、このⅢ章をまとめるきっかけの一つとなりました。幾人かの若者が、この著書から刺激を受けてくれて、ランドスケープへの道を選択し、アメリカなど海外でランドスケープを学ぶきっかけにしてくれたのでした。その状況を紹介しています。

これらに加えて、ひとはくで経験した環境ゼミの展開、ボルネオジャングル体験スクール生の話題などが続きます。これら一連の原稿を通して、「やる気のある若者の集まりは素晴らしい」と、一言で言い尽くせると感じています。大学教員だけが良いとはいいませんが、ひとはく環境ゼミからは、神戸大学、関西学院大学、甲南女子大学、京都学園大学など、数人の大学教員が生まれています。やる気のある若者たちが、自主的に集まってきて、自主的に学び、急速に成長する様を経験しました。まさに、教師冥利に尽きるできごとといえます。

ここでは、このような様々な、元気に満ちた、若者に関わるエピソードを紹介していきます。

若者を育んだアメリカン・ランドスケープの思想

先輩、都田徹氏との共著『アメリカン・ランドスケープの思想』この本が招いた若者との偶然の楽しい出会いシリーズです（書き下ろし　２０１７年6月）。

シアトルにあるワシントン大学に、一年間の予定で、兵庫県立大学の在外研究員として滞在していた赤澤弘樹氏から、兵庫県シアトル事務所の河内所長、当地在住の小林氏、そして留学生の石塚君たちとの会合の話題をメールで聞いていました。兵庫県立淡路景観園芸学校の卒業生である石塚君が、留学でワシントン大学に滞在していて、積極的に活動しているとのことでした。後日談ですが、一年間の在外研究員を終えて帰国した赤澤先生から「人間が短期間でこんなにも成長するものかと、シアトルで石塚君を見ていて感動しました…」とも聞かされました。

私事ですが、２０１７年4月から、兵庫県立人と自然の博物館（ひとはく）館長に加えて、淡路島にある兵庫県立淡路景観園芸学校に学長・校長として勤務しています。学校のさらなる活性化を推進するように、知事さんや県当局者から依頼されたからです。着任して2月余りが経過したのですが、十数年前のひとはくの改革のようには、一筋縄では進まないなと感じ始めていた頃の出来事です。

２０１７年（平成29年）6月18日、神戸新長田でＮＰＯ法人地域再生研究センターの第13回の総会、研究発表会、懇親会がありました。因みに設立当初から、この法人は地方創生を活動目的にしていました。総会には間に合わず、研究発表会から参加したのですが、その受付で素晴らしい出会いがありました。受付の若者が、私の顔を見るなり「先生、私は石塚です。お会いしたく思っていました」と言ってきたのです。聞いてみると、東日本出身で、大震災後、鳥取の自然環境系の大学で学び、その後、兵庫県立淡路景観園芸学校（兵庫県立大学大学院緑環境景観マネジメント研究科）に進んだとのことでした。そのきっかけになったのが、私たちの著書『アメリカン・ランドスケープの思想』（鹿島出版会）だったとのことでした。さらに、アメリカにまでも留学することになったとのことでした。

石塚君以外にも、たまに『アメリカン・ランドスケープの思想』を読んで進路を考えるのに役立ったとか、私の非常勤の講義（神戸大学、名古屋工業大学など）を聴講して、ランドスケープを志したりとか、著者冥利、非常勤講師冥利に尽きる話題が多くあります。ひとはくから、大阪府立大学教員に転出した武田さんも、正確には記憶していませんが、私の生きざまを良くみていてくれたようです。兵庫県立淡路景観園芸学校（兵庫県立大学大学院緑環境景観マネジメント研究科）の専門職大学院ができた頃、私が研究科長兼校長として勤務していた頃の卒業生、林、糟谷、高橋、大澤、大久保、山本…も記憶に新しい人たちです。彼女、彼らの更なる発展を祈念してやみません。

『アメリカン・ランドスケープの思想』表紙

これにも後日談があります。その年の10月15日、日本造園学会関西支部大会が淡路景観園芸学校で開催されました。私は、形だけの大会実行委員長として参加していました。ポスターセッションが終わり、優秀ポスターの表彰会場に移動しようとしていたときの出来事でした。見知らぬ男性が、ご挨拶させてくださいと近寄ってきました。聞いてみると神戸市立工業高等専門学校准教授の高田さんと称する方でした。その方の話が、非常にうれしい話題でした。20年ほど以前のことですが、博物館の出張講座として三宮の交通センタービルで造園学講座10回シリーズを数年にわたって開催していました。その時の受講生で、私の講義に感動して造園の道に進み、東京工業大学から学位を得た後、現職に就いているとのことでした。

（後日談があります。縁があったのでしょう、２０２０年４月から、高田さんは人と自然の博物館の研究員として勤務されています。また、高田さんと一緒に、もう一人受講生がおられたのですが、ひとはく藤本さんからの情報で、吹田市に勤務されている田端さんとわかりました）。

G．エクボ先生と（バークレーヒルにある先生宅玄関にて）、バークレー市

まだあります。２０１７年11月25日（土）のことです。雪がちらつくかもしれないという初冬の鳥取で、環境・防災・芸術に関する講演会が、鳥取環境大学の中橋先生のご尽力で、駅前のワシントンホテルで開催され、私も講師の一員として参加しました。その週末は、鳥取砂丘でポケモンＧＯのイベントが開催されていて、駅前から町中まで大変な賑わいでした。「砂丘にさっきゅうにＧＯ？」とのダジャレを鳥取県知事が言っている？…とかのことでした。

講演会が終わり、交流会が始まってすぐのことでした。鳥取県庁の公園技術職の役人、柳樂さんが話しかけてきてくれました。彼の同僚である県庁の池田さんとは、彼女が兵庫県に研修に来ていた関係で良く知っていたのですが、柳樂さんとは初対面と思っていました。ところが話を聞いてみると、彼が造園職に就いたのは、私の講義を「日本大学で聴いた」のがきっかけになったとのことでした。十数年前になるのでしょうか、博物館の運営が始まった頃に、日本大学の勝野教授（当時）に、大学院の特別講義に呼んでいただいたことを思い出しました。勝野先生は、大学から博物館に移動しバタバタしている私を、色々と気遣ってくださったものと感謝しています。その時の講義のタイトルは「アメリカン・ランドスケープの思想」だったとのことでした。既に、勝野先生は退官なされましたが、今も、卒業生を通じて着実に交友関係が続いているものと思いました。ちなみに、11月24日（金）の夕刻には、鳥取環境大学で講義をしましたが、その時のタイトルも「アメリカン・ランドスケープの思想」でした。講義後、3年の女子学生が「淡路の大学院に是非とも進学したい」とのうれしい相談を私にしてくれました。

P.ウォーカー先生にインタビュー、ボストン市

J.スコット先生（中央）にインタビュー、バークレー市

ボルネオジャングル体験スクール生との再開

ボルネオジャングル体験スクールに参加してくれた、最年少（小６）のスクール生、アキちゃん（坂田安紀）、彼女との９年ぶりの再開と当時のジャングルスクールでの彼女の頑張りの物語です（書き下ろし２０１６年３月）。

２０１６年３月21日、「ボルネオジャングル体験スクール卒業生の集い、スペシャル」が、神戸市内にある兵庫県民会館で開催されました。そこで、兵庫県立人と自然の博物館館長としての主催者の挨拶を終えて、次のプログラムを待っている間、５分間程の出来事でした。誰かが「中瀬先生！お久しぶりです。覚えてくれていますか？」と声をかけてくれたのです。「あの時、ボルネオに一緒に行ったアキちゃんだ！」と一瞬でわかりました。朝、家を出かける際に、ほんの少しだけ期待していた出会いが、今実現しているのだと、嬉しさと懐かしさがこみ上げてきました。９年ぶりに会ったのですが、当たり前のことですが、幼かった小学６年生アキちゃんは、大学３年生に立派に成長していました。

話をしていますと、高知大学の文系学部３年生で、卒業後は、自身が生まれ育った地元、東播磨の町に就職したい旨を、９年前の時と同じように、しっかりとした口調で活き活きと語ってくれていました。「昔どおり、いや、それ以上にしっかりしてきているな！」と感慨ひとしおでした。この集いのために、わざわざ、高知から神戸まで日帰りで来てくれたとのことでした。

思い返しますと、アキちゃんと出会ったのは、生物多様性の宝庫である本物の熱帯雨林が大切に保存されているマレーシア・ボルネオ島のダナムバレーでのことでした。ここを舞台にして、２００６年（平成18年）7月21～28日の8日間にわたって、第8回ボルネオジャングル体験スクールが開催されたのです。アキちゃんは小6生、高2までの年上のお兄さんお姉さんたちに混じって元気に活動していました。年上の参加者から苛められたりすると、何も言わずに私の横にいたことを憶えています。私は校長先生として、博物館のスタッフと共に参加していました。

年上の子どもたちと学ぶアキちゃん、ダナムバレー、ボルネオ

マレーシアの友達との別れ、ダナムバレー、ボルネオ

ジャングルスクールを簡単に紹介しましょう。ダナムバレーは、常に気温が30℃後半、湿度が１００％近くあって、スコールが毎日やってくるようなところです。日本から訪れた私たちにとって、非常に過酷な気象環境にありますが、この気象があるからこそ熱帯雨林が成立し、豊かな生物多様性が維持されているのでしょう。この熱帯雨林での、歩きながらの学習、樹林を上から見下ろしながら歩く

樹冠ウォーク、近くの山への登山や原始の川での遊びなどに加えて、ナイトウォーク、トラックの荷台に乗っての夜間の生きものの探索とプログラムは多彩でした。

その間に、昼夜にわたっての生きもののけたたましい鳴き声を聞きながら、テナガザル、ヒゲイノシシ、オオコウモリ、サイチョウ、さらには世界最大のセミ（テイオウゼミ）や大型昆虫などとの遭遇…、超高木や絞め殺し植物などとの出会い…、多くのことをスクール生たちは、現場で、体全体で、経験していました。ジャングルスクールの全期間を通しての圧巻は、野生の巨大なオランウータンとの間近での突然の出会いでした。スクール生たちは、怖じけずに勇敢に写真を撮っていました。

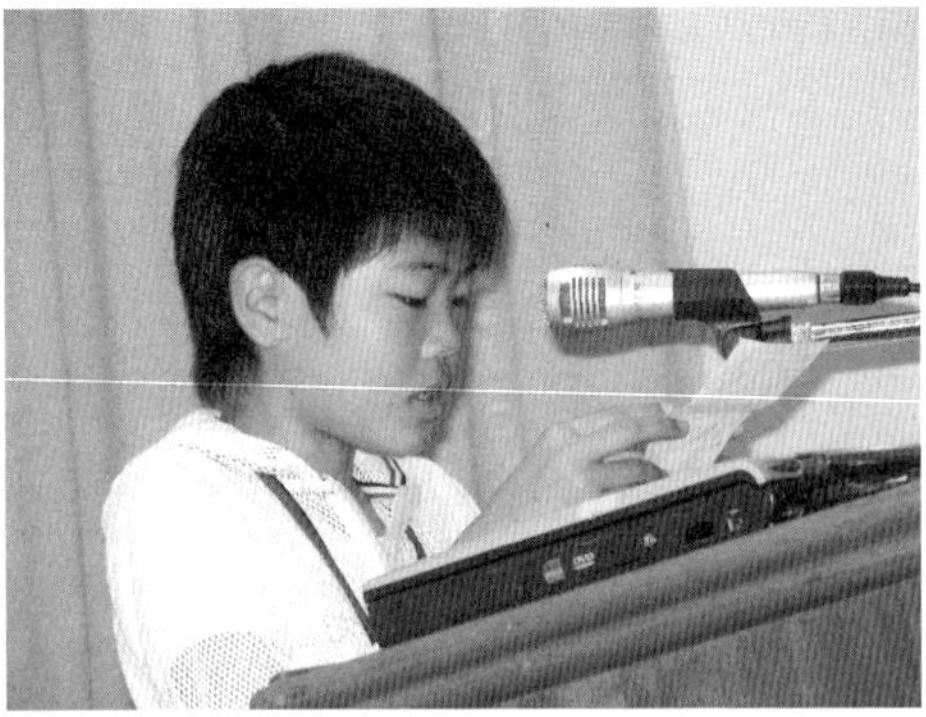
英語でプレゼン中のアキちゃん、マレーシア大学、コタキナバル市

ジャングルスクール最初の頃、アキちゃんは、たまに私の前に現れて、話してくれていました。時間の経過と共に、よく馴染んでくれたのでしょうか、いつしか、常に私の近くで行動するようになっていました。現地で説明を聞くとき、珍しい物をみたとき、いつもメモを取りながら、興味深く質問をしていたものでした。最終日には、マレーシア国立大学サバ校生物多様性研究所の皆様たちを前にして、英語で立派に発表をすることができました。前日の深夜まで、英語での発表会の準備を一生懸命していた姿が印象的でした。

ジャングルを後にして、コタキナバル郊外にある海沿いの自然保護区で、そっとマングローブの種を植えてきたことも懐かしい思い出です。また、コタキナバルのショッピングセンターで、スクール生たちは、

マングローブ園での記念植樹、コタキナバル市

家族や友人などへのお土産を買い、空港でトランクに詰め替えをしていた時のことです。ふと目に入ってしまったのですが、アキちゃんのトランクが、他のスクール生と比較して、非常にきれいに整理されているのが印象的でした。

第8回ボルネオジャングル体験スクールの行程をまとめておきます。関空からマレーシア・ボルネオ島のコタキナバルに到着し、これから始まるジャングルスクールの準備のために、ホテルにて一泊。次の日は、プロペラ機で、キナバル山や蛇行する河川などを見ながらラハダトゥ空港に到着。現地の学校を訪問し、今回のスクール生に同行してくれる仲間たちと合流し、その後、道路沿いの店で果物などを仕入れながら、最終目的地であるダナムバレーへと未舗装の超悪路をマイクロバスに分乗して向かいました。スクール生は、研究者用のロッジに2泊し、その後、レインフォレストロッジに2泊して学習を進めました。このプログラムは２０１５年をもって終了しています。

人と自然の博物館環境ゼミから巣立った若者

筆者が40歳代後半の頃、毎週といって良い程、人と自然の博物館の環境計画研究部の室に、ランドスケープを学びたい学生たちが集まっていました。自主的に学びたいという意識の高い学生たちの話題です（書き下ろし）。

人と自然の博物館は、１９９２年（平成4年）に開館しました。記憶は定かではありませんが、その数年後、神戸、関西学院、神戸女学院、同志社、大阪府立などの諸大学から、環境や造園を学びたいという志を持つ学生たちが、博物館の私の研究室（環境計画研究部）に、自主的に、徐々に集まりだしました。環境ゼミと称して、土曜ごとに集まり、誰かがテーマを設定して発表し、議論するなど、自由で、自主的な勉強会が始まっていました。研究室の書棚に並べてあった図書や報告書類が、彼らの格好の教科書でした。気に入り過ぎたのでしょうか、熱心に読んでくれたのでしょうか、かなりの数の本が、今日に至るまで元の場所に返納されませんでした？

時には、朝来町や丹波地域に出かけたりして、現場主義の実戦的な活動をしていました。朝来町の井上町長さん（当時）からは、親身になって、学生たちと真剣に、町長室で会話して頂けました。学生たちからも、朝来町へのまちづくり提案がなされたことは言うまでもありません。時には、アメリカ、カリフォルニアのバークレーまで出かけ、あのＧ・エクボ先生のご自宅を訪問し、会話し、ビールを頂いたり、サンフランシスコ界隈の現場を見学したりしました。その後、彼らだけで、列車を使ってヨセミテなどへ旅していたようでした。私なりに、行程の安全を危惧していたのですが、詳細は聞かせてくれませんでしたが、結果オーライのようでした。バークレーのダウンタウンにあるシャタック・ホテルが、私たちの旅の集合、解散の場所でした。

このゼミは、数年間は続いたように思います。誰が固定したメンバーということはなく、自由に入れ替わっていたようでした。最盛期には20人程になっていたでしょうか。その後、博物館に、兵庫県立大学大学院が設置されましたので、徐々に環境ゼミは縮小していきました。

今、思いますと、三田にあるひとはくの大学院の修了生と共に、このゼミから非常に有意な人材が輩出され、社会で活躍しています。神戸、日本、甲南女子、武庫川女子、京都学園などで、教育、研究、そして社会活動を実践する教員が多く生まれました。さらに、オーストラリアにパーマネント・アグリカルチャーで移住し、UCデービスで学び、東京大学都市工の博士コースに進んだ方もいます。若い頃の私の生き様を、彼らなりに実践してくれているようです。人によっては、私をはるかに飛び越えてしまったようです。

環境ゼミの参加者、
デービス、カリフォルニア
左・義平真心さん、中央・鈴木きし子さん

この頃、博物館の造園学講座、10回シリーズを、金曜日の夜間に三ノ宮にあった交通センタービルで開催していました。毎回、40人ほどの受講生がおられました。

民間会社、行政で働く方、学生さん、趣味の方と受講生は多彩でした。これも数年間は続いたと記憶しています。今でも、あの講義を受けましたよと言って頂くことがあります。この講義を聴いて、数人の方は造園の途を歩んで頂いたようです。

学生たちのことを記述しましたが、人と自然の博物館の環境計画研究部から他大学へと巣立った先生方も多数おられます。設立時、故貝原知事が大学等との人事交流を活性化するようにと言われたおかげと思います。大阪大学、大阪府立大学（3人）、関西学院大学、関西大学、兵庫県立大学などです。

魚津三太郎塾、産学官金連携のモデル

筆者の造園学会長時代の盟友に金岡省吾さん（富山大学教授）がおられます。民間会社を辞して、大学に転じたのち、地域連携センターにて産学官金を繋いで新産業おこしに頑張っておられました（兵庫丹波の地域情報誌　丹波の森No.45　２０１２年６月）。

魚津三太郎塾が開催された魚津市（富山県）は、標高３０００m級の北アルプス連山が背後にそびえ、水深１０００mの富山湾が前に広がる地に位置しています。このことから「標高差４０００mのまち」が、魚津市のキャッチコピーとなっています。清涼な水に恵まれ、海産物の豊かな落ち着いたまちです。３月28日、富山大学で地域連携を担当している旧知の仲の金岡教授から、富山大学と魚津市の連携のもとで、地域の人材養成及び起業を目的として開催されている、魚津三太郎塾最終日の特別講演に呼んでいただきました。この三太郎塾の名称は、川原田政太郎、盛永俊太郎、宇田新太郎の著名な地元出身の三博士にちなんだ名称とのことです。この塾の特徴は、「産学官金」の連携ということで、企業経営に深くかかわる「金融機関」が、塾の運営支援や塾生派遣で参画していることです。塾生は、市内の製造、建設、農林、飲食、印刷、海産物土産屋、ＪＡ、森林組合、金融、水族館等に勤務する20～40代の若者でした。

この日は、塾生各人が研修成果をポスター発表し、その後、特別講演として、「丹波や但馬での地域おこし、人材養成」のことを話してきました。塾生に加えて、富山大学長、魚津市長、派遣した企業の皆さんをはじめ多くの方々が集まり、活発で有意義な議論をすることができました。

その中で、まちの活性化をテーマに、地域資源の発掘と活用、異業種の交流やネットワーク化等に関して多くの話題がありました。森林組合の間伐材と印刷用紙との間でのカーボンオフセット、飲食業・土産店・JAなどの地産地消のネットワークなど、実現に向けての具体の話が進んでいました。塾終了後の交流会でも、塾生の間で、塾の継続やさらなる魚津市の活性化について話題が沸騰していました。ちなみに、魚津に着いた後、駅前で昼食をとった店、帰りにお土産を買った店、両方とも塾生の店であったこともあり、2日間滞在しただけで魚津市のファンになった次第です。

約1年後、妻と北海道まで車で出かけたのですが、その際にも魚津市に立ち寄りました。埋没林博物館、駅前の食堂や港の乾物屋さんを懐かしく見てきました。

20年程前に「丹波の森づくり」をテーマに議論したこと、10年程前に「丹波地域ビジョン策定」で議論したこと等、丹波で皆様と共有した活気を再体験したような気持ちでした。翻ってみますと、丹波地域では、既に20年余の市民主体の先進的な地域活性化の実績があります。このお陰で、私が呼ばれたと思うのですが、丹波地域の、森づくりや地域づくり、文化芸術活動等の多様な試みと成果が全国に波及しているものと再認識しました。一方、魚津市のみならず、全国各地で環境全体（水俣市、川崎市等）、交通（富山市、岡山市等）、ゴミ（上勝町等）、バイオマス（真庭市等）、IT（神山町等）等、従来のテーマとは一味違うユニークな地域づくりが始まっています。今一度、丹波での、これまでの実績と全国での新たな試みを対比しながら、丹波を再考する良い時期に来ているように思います。

仲間との絆

「カナダ・エドモントンとの思いがけない出会い」が、Ⅲ章「絆の風景」のみならず、本書をまとめようと思い立った原点の一つです。カナダ・エドモントン市、アルバータ大学の植物園敷地内に造成した栗本日本庭園、これから派生した偶然の出会いが連鎖するストーリーです。

新幹線京都駅での偶然のカナダ人との出会い、栗本日本庭園の話題、そしてエドモントン在住の建築家、橋本潤一さんへと関係が繋がっていきました。この体験以降、懐かしくて嬉しい、仲間との様々な偶然の出会いが何回となくありました。そのたびに書き留めておいた原稿類を準備しています。

これらに加えて、仲間たちとの楽しかった学会や学生時代の絆に関する様々な原稿、最近の大阪府北部地震直後、近隣の皆さんと語り合った経験など、地域コミュニティに関する原稿などを取り揃えました。

カナダ・エドモントンとの思いがけない出会い ―the world is small―

新幹線京都駅上りホーム、列車の遅れに端を発した国際的な出会いの連鎖です。本シリーズを記述しようと思い立った原点の一つです（公苑長の独り言　丹波の森公苑ブログ　２０１２年６月）。

２０１１年度の（社）日本造園学会の全国大会が、東京の世田谷区にある東京農業大学で、11月12、13日にわたって開催されました。12日（土）午後からの総会に間に合う時間に、京都駅新幹線ホームに行ったのですが、運悪く新岩国駅構内の信号故障のため、東京方面行は2時間弱の遅れが出ていました。

何とか早めの列車の指定席に変更して、ホームで待っている時のできごとでした。大きなトランク２つを携えた外国人が近寄ってきて、何が起こっているのかと、私に聞いてきたのです。その人は、今日中に、京都、品川、そして成田国際空港まで行き、カナダに向けて出発する予定とのことでした。列車が遅れている状況を説明して、駅員に相談するように伝えたのでした。しかし、駅員との会話がどうも要領を得ない様子でしたので、出しゃばって、彼と一緒に駅改札にある事務室まで行き、早く来る新幹線の席に変更する手伝いをし、再びホームに戻りました。その外国人は、大喜びで、名刺を差し出しながらお礼を言ってくれました。

その名刺を見た途端、私は余りにもの偶然に吃驚すると共に、非常に懐かしい気持ちになりました。何と、彼はカナダのアルバータ州エドモントン市にあるアルバータ大学の先生で、私たちが20年ほど前に、当地で設計・施工した日本庭園（栗本日本庭園）を管轄する部局の長だったのです。わずかの時間でしたが、日本

庭園の流れ、栗本日本庭園（University of Alberta）、エドモントン市

庭園の中央池、栗本日本庭園（University of Alberta）、エドモントン市

庭園を造成していた頃のことを話して別れました。数日後、博物館に行くと、カナダ時間で13日21時送信のお礼メールが、私のアドレスに届いていました。久々に、人と人との出会いの妙、偶然に感動すると共に、爽快な思いをした「ひととき」でした。これを契機に、カナダとの交流が活発になればと願うばかりです。

後日談があります。彼からのメールに、あなた（中瀬）のことを詳しく知りたいとの依頼があったのです。英語で文章を書くのが億劫だったため、「エドモントン在住の日本人建築家、橋本潤一氏に問い合わせてください。私の友人です」と簡単なメールを送ったのですが、素晴らしい展開がおこったのでした。何と、その時、橋本さんは、日本庭園で茶室を設計する仕事をされていたのです。その後、三人の間で「The world is small」のキーワードでのメールが飛び交ったのでした。

私の出会った女性造園家

女性造園家についての執筆の依頼があり、これまでに出会い、印象に深く残った女性造園家のことを書き綴ってみました（女性造園家会報　２０１６年）。

これまで40年余に渡って造園に関わってきましたが、この間に出会った女性造園家の方々を念頭において、造園文化の進展と女性の関係に関して論を進めます。しかし、筆者の活動拠点は関西にあるため、日本全体で、実際に活躍されてきた多くの方々を紹介できないことを、まず冒頭でお詫び申し上げます。

女性造園家のさきがけ

本題を語るに、カリフォルニア大学バークレー校を舞台にして、G・エクボ先生たちと共に研究・教育、そして実務を推進されてきたJ・スコット先生（１９０４〜１９８９年）を、女性造園家のパイオニアとして思い出します。『アメリカン・ランドスケープの思想』（鹿島出版会、１９９１年）に登場する5人の偉大なランドスケープ・アーキテクトの中で雄一の女性です。先生のことは、造園家、園芸家、そして、アメリカで最初の女性ライセンス取得者などと一般に紹介されています。

都田先輩（(株)景観設計東京）と共に、バークレーヒル（バークレー市、カリフォルニア）にある彼女の自宅で、「自然、エコロジー、そして、ランドスケープを志す若者へのメッセージ」について、インタビューした時のことを記憶しています。その際、スコット先生は、リタイアしているからと、私たちの申し

J.スコット、D.カイリー先生が関わったオークランドミュージアムの屋上緑化、オークランド市

出に対して躊躇されたのですが、G・エクボ夫人に同席頂くことで実現しました。現役時代を思い出しながら、私たちに物静かな口調で、彼女の活動の歴史を語ってくれました。「自ら設計した公園の植栽樹木のこと」「時間の経過とともに日差しが変化し、それとともに樹木相互間の関係が変化すること」「現場で学生に語りかけていた授業の様子」「D・カイリー氏らと、オークランドミュージアムの屋上庭園の植栽計画をした際のこと」などを語って頂きました。１９５０～６０年代に、モダン・ランドスケープを展開させるとともに、人材育成に大いに貢献された方です。残念なことに、インタビューの２年後、それを収録した書籍の出版を待たずに亡くなられました。スコット先生は、女性が造園の教育、研究、実務に関わる基礎を構築し、社会的に活動する先鞭をつけられたのです。

交換留学生の思い出

２０１４年１月末から２月初めにかけて、ボストンに隣接するブルックラインに滞在しました。石川幹子さん（東京大学名誉教授）が書かれたボストン・グリーンネックレス関連の論文を読みながら、この地で、いち早く都市の緑地系統などの研究をされていたものと想像していました。

この地域にはハーバード大学、ボストン大学、ＭＩＴなど、造園やまちづくりをリードする大学が位置しています。ボストン大学のそばを通った際に、キャロル・マンクさんを思い出しました。彼女は、1980年代に大阪府立大学大学院に、UCバークレーからの交換留学生、研究生として滞在していました。学部では、ボストン大学のアーバンスタディを卒業し、UCバークレーで環境デザインを学ぶ大学院生でした。その後、幾つかの建築設計事務所などを経て、今は、イギリスのキングストン大学で教鞭をとられています（執筆当時）。彼女が大阪府大に来る前、1970年代から、UCバークレーからの交換留学生として、パトリシア・ガターさん（後にシアトル市公園部長）、リンダ・ジョンソンさん（ピープル・プレースをクレア・クーパー・マーカス氏等の指導の下で執筆に参加）などの女性がいました。日本からは、辻本智子さん（兵庫県立奇跡の星の植物館プロデューサー）がバークレーに行かれていました。このように交換留学生の多くが女性であることで、私なりに、女性が造園文化を変容させる兆しを感じていたのでしょう。

この時期に、バークレーなどで、先輩たちからレイコ・ハベさんの活動、親泊素子氏のIFLAなどでの活躍の様子を見聞きして、誇らしく、かつ羨ましく思っていました。1976年の夏、筆者が客員研究員として、UCバークレーに滞在していた頃、その後、造園デザイン、都市デザイン、そして教育などで大活躍されることになる上山良子さんに出会う機会がありました。彼女は、環境設計学部の大学院生として滞在されていたのでした。

造園を専攻する女性の人数が、それ程多くなかった時代に、これらの皆様は、造園の研究、教育、実務を実践すべく奮闘されていたのでしょう。国内外で、女性が造園文化を進展さる基礎を構築されていたと思います。

造園文化の進展と女性

阪神・淡路大震災の後、林まゆみさんと『みどりのコミュニティデザイン』（学芸出版社、２００２年）を編集しましたが、執筆者の多くは女性でした。林さんに加えて、「ガレキに花を」の天川佳美さん、「ドングリネット神戸」のマスダマキコさん、「グリーンマントの会」の藤原千秋さんたちでした。彼女たちは、緑からの復旧・復興に対して、女性ならではの視点からの提案と実践をしていたのです。

このように、20世紀後半から21世紀にかけて、造園の専門領域は大幅に拡大するとともに変容を遂げつつありました。庭園、公園などのデザインに加えて、ユニバーサルデザインの概念に象徴される人に優しいデザイン、公園緑地のみならず地域全体を考慮したコミュニティデザイン、自然との共生を意図したエコロジカルデザインなどです。

庭園や公園のデザインでは、ガーデニング、オープンガーデンに加えて、エディブルランドスケープなどの概念が加わっています。コミュニティデザインでは、コミュニティガーデン、コミュニティパーティシペーション、さらには公園マネジメント、地域マネジメントなどへと展開しています。ユニバーサルデザインでは、誰にも優しい公園や広場づくりから、子どもたちの成長や学習などにも関連づけられていますし、エコロジカルデザインでは、生物多様性、共生などの概念が重視されています。

ここに記載した事項は、多くの女性造園家が、行動し、活躍するとともに、造園文化がさらに拡大し、進展した結果といっても過言ではないと思います。女性ならではの感性、特性を発揮して、さらに拡大、変容させて頂けるものと期待しています。

造園界のみならず土木、町づくりの分野で、女性が元気に活躍を始めている状況がみられます。男女共同参画、女性の社会進出などといわれていますが、本来あるべき姿であって遅すぎた感さえもしています。
本稿の執筆に悩んでいたときに、兵庫県立丹波並木道中央公園の指定管理を担当している片平さん、塩山さん（女性）から有益な情報を得ましたので、ここに紹介します。都市計画学会関西支部内に「まちと女子（都市と人）の生き方・働き方研究会」を組織して「まちづくりに関わる分野が集まって」活動しているとのことでした。第3号までの会報のタイトルは、「しあわせな公私混同!?生活」「まちのオカン、公共空間暖めます」「元祖まち女子、疾風怒濤の開拓期！」でした。皆さん、なかなか元気にやっているようです。これらの方々とも機会がありましたら交流を持たれては如何でしょうか。

本稿の執筆中に、半田真理子氏の訃報に接したのですが、氏は、兵庫県丹波地域とウィーン13区とが、森の国際親善協定を締結するきっかけをつくって頂いた、兵庫県丹波の恩人ともいえる方です。さらに、兵庫丹波の森公苑の運営、丹波の森構想推進などに際して、大変なお世話になりました。丹波の森構想20周年に際して、お世話になった方にインタビューしたことがありますが、その際、半田さんは、ご自身のお気に入りの数枚の写真を机上に置いて、お待ち頂いていたことが印象深く残っています。心からの謝意を表すると共に、ご冥福をお祈りいたします。

まなびやの思い出、2題

当時では、数が少なかった中高一環の学校で学びました。まなびやに関する懐かしい思い出話です（丹波OB大学　ぬくもり　2016年）。

中学時代の筆者（前列、左から２人目）、摂津峡、高槻市

最近、丹波の兵庫県立柏原高校で、SGH（スーパー・グローバル・ハイスクール）事業の一環として、丹波の里山について講演させていただく機会がありました。里山一般、丹波の里山の現状、過去からの伝統などについて話したのですが、生徒たちの、非常に熱心な聴講姿勢に感動しました。ここ数年、忘れかけていた「聴講する側の態度・姿勢が、講演内容をより良くする！」を実感させて頂けました。後日、頂いた生徒たちの素晴らしい感想に接して、「こんなことを聞いていてくれたんだ」「こんなことに興味があったんだ」「良く聞いていてくれたものだ」と久々に感じ入った次第です。このようなことを、講師冥利に尽きる経験といえるのではないでしょうか。

それから暫くして、母校の高槻中学校・高等学校でのホームカミングデーで、「人気博物館・動物園のウラ側」と題する鼎談に呼

高校時代の筆者（後列中、前列は恩師の嵯峨先生）、高槻市

高校時代、鉄ちゃんの九州旅行、人吉市

んで頂きました。出演者は、24期の大阪市立天王寺動物園前園長の高橋氏、45期のMBS毎日放送記者の大八木氏、そして18期の人と自然の博物館の私の3人でした。博物館、動物園の苦労話、ウラ話などを、毎日放送の大八木氏が、うまく聞き出してくれて、お陰様で、鼎談は非常に楽しく進行しました。聴講者は、戦前、戦中生まれの大先輩たちでした。通常の講演では、大先輩たちに対して物足りないのではないかとの、同窓会の幹事さんたちの心配りがあったと後で聞かされました。昭和41年の卒業以来、母校に行ったことがなかったのですが、懐かしい記憶がいっぱい詰まった教室に入り、当時の写真展示などを楽しみながら、中学生・高校生の頃の記憶を彷彿とさせていました。

久々に懐かしい先輩にお会いして、その背の「低さ」に驚くと共に、当時の自分の背がもっと低かったんだと、妙に納得していました。中高一貫教育の厳しい学校でしたが、剣道部での練習や試合のことや、鉄道同好会（鉄ちゃん）で九州各地の蒸気機関車を見て回ったことなど、級友との懐かしい活動を回想していました。卒業の前年、東京オリンピック女子バレー決勝戦を見ないで、受験勉強に勤しんでいたことも良い思い出です。

高校の思い出話を二つ紹介しましたが、自分たちが学んだ小・中学校・高等学校には、思い出深いものがあります。丹波ＯＢ大学は、高齢になってから学ぶ大学として、一般の学校とは趣を異にし、経験豊かな皆様方が、第二の学び、交友、クラブ活動、旅行を楽しまれ、その成果を社会に還元される場であると思います。このようなＯＢ大学の特性を、さらに伸ばして頂けることを期待すると共に、皆様方のますますのご健勝、ご活躍を心から祈念申し上げます。

橋本潤一さんへのバイオダイバーシティ・ミュージアムの紹介

自然系博物館、その新しいカナダでの動向を、当地にお住いの橋本さんにお知らせしたメールです（書き下ろし　２０１６年２月）。

もう十数年以上前のことになりますが、カナダ、エドモントンにある栗本日本庭園で、一緒に働き、大変お世話になった建築家に橋本潤一さんという方がおられます。生まれは兵庫県伊丹市です。今は、現役を引退されて、老後を気候温暖で、緑豊かなバンクーバーに住まわれています。２０１６年１月、現地を訪問して、久々にお会いすることができました。その時の、橋本さんへのお礼メールを紹介します。

エドモントンでお会いしてから十何年ぶりでしょうか。久しぶりにお元気な姿を拝見しまして、安心すると共に、お会いできて本当に良かったなと思っています。バンクーバーの東洋文化館で開催された私たちの栗本日本庭園などの講演を聞いていただくと共に、この庭園での茶室建築などに関わられた建築家として、説明までしていただきましてありがとうございました。

講演会に、ブリティッシュ・コロンビア大学のバイオダイバーシティ・ミュージアムのエリック館長ご夫妻が来てくれましたが、前日の私たちの博物館ヒヤリングの際に講演会の案内をしたら本当に来てくれました。講演会当日、淡路景観園芸学校卒の烏賀陽《うがや》さんが書いた日本庭園の本を差し上げたのですが、日本庭園の書籍を既に二冊もっていて、これが三冊目と大喜びしてくれました。この大学に隣接して、新渡戸稲造記念庭園があるからでしょうか?

この文化館の近く(大学のメインモール)にバイオダイバーシティ・ミュージアムが位置していますが、建築的にも、博物館的にもなかなかの良い出来だと思いました。地下に埋め込んだ建物、自生種を用いた屋上緑化(レインガーデン:雨庭)、この空間の環境学習への活用など、これだけでも非常に良く出来たものと思いました。さらに、展示と収蔵庫を一体化したイメージの展示空間は、系統群毎に色分けされた展示となっています。これからの博物館の展示の在り方を示唆しているようでした。三田の人と自然の博物館でも、見せる(魅せる)

バイオダイバーシティ・ミュージアム、地上部の屋上を緑化したレイン・ガーデン、バンクーバー市

バイオダイバーシティ・ミュージアム(左から、著者、エリック館長、ジャッキーさん、上田さん)、バンクーバー市

バイオダイバーシティ・ミュージアムの展示案内、バンクーバー市

収蔵庫が展示場所、同ミュージアム、バンクーバー市

収蔵庫などと議論していたところでした。

また、スタッフと共に、環境学習などのソフト面も良く充実しているようでした。まさに、ハード、ソフト共に、これからの博物館の姿を先取りしているように思いました。さらに、館長のエリックさんを始め多くのスタッフが、楽しくて前向きなことにも感動しました。

訪問前に送った私たちの質問事項に、ミュージアムのサイエンティストのジャッキーさんが、全てに対応する丁寧な返事を返してくれていました。そのため、ヒヤリングではなくて、展示空間などを見学しながら、館長のエリックさんとサイエンティストのジャッキーさんが同行し説明してくれました。カナダ、アメリカの博物館で、このように懇切丁寧に案内して頂いた経験は初めてでした。

ということで、何らかのかたちで、われわれの博物館と交流ができたら良いなと思っています。

多様な専門家との協働によるパークマネジメント導入のきっかけ、兵庫三田宣言

都市（まち）づくり国際会議、鳴海先生をリーダーにした学際的な仲間の方々との、本当に実務的な議論の末、7項目の会議宣言を出した時の思い出話です（書き下ろし　１９９８年）。

筆者が、造園の調査・研究、計画・設計の専門から、「公園マネジメント」へと至るのに、22年間にわたる博物館での活動経験は重要なものでした。特筆すべきは、この間に、１９９５年1月17日に発生した阪神・淡路大震災の悲惨な経験、そして、その後の復旧・復興計画づくりへの参画、ボランティアやＮＰＯと連携した実践活動などは、「パークマネジメント」の重要性を認識するための貴重な経験でした。

その後、１９９８年（平成10年）7月、「21世紀都市（まち）づくり三田国際会議」（主催・兵庫県、三田市）が、三田市を舞台にして開催され、7項目の「'98兵庫三田宣言」が出されました。ここに至るまで、多様な専門家が3日間にわたってテーマ発表をし、熱く、広範に討議し、7項目にまとめ込んだことを想い出しています。その中で、第7項目で示された「この会議において得られた成果は、国際的な情報交流と、それに基づく討論によってもたらされたものである。この成果をふまえ、世界に発信することのできるような、都市づくりにおける新しい「参加」の仕組みを構築することへの挑戦が、この地において展開されることに期待する。……」と記載されています。この「新しい参加の仕組み」こそ、私たちがパークマネジメントへと展開する重要な契機になったのです。

この国際会議では、鳴海邦碩先生（当時、大阪大学教授）をリーダーとして、国内外の都市計画、建築、まちづくり、造園、経済・経営、地域経済、社会、高齢者福祉、NPO活動、地域活動グループ代表などの多様な専門家が集まり、3日間にわたり総合的に熱く語り合いました。当時としては、先進的、統合的な会議であったことを記憶しています。

「21世紀の都市（まち）づくり 三田国際会議」'98兵庫三田宣言

1．都市づくりは、人びとが助け合い、分かち合う、生き生きとした生活を支えるコミュニティづくりを基本としながら、互いの役割を認識しつつ、市民・企業・行政が連携することによって進められなければならない。このようなパートナーシップが成立していくためには、市民が主体となった活動を支えていく、自律性のある市民組織の育成が必要である。

2．市民やコミュニティのニーズを経済活動に結びつけることによって、地域経済を活性化すると同時に、そこから新たな産業を生み出す試みに挑戦しなければならない。とりわけ、コミュニティを主体にして、すべての市民の生活ニーズに対応したビジネスを展開していくなど、「コミュニティ経済」の仕組みづくりが必要である。

3．緑や水の自然環境を都市づくりの中に生かすことを通じて、自然の営みを尊重し、また限りある資源を大切にすることが、持続可能な都市づくりの源であることを認識しなければならない。その一環として、新たな代替エネルギー技術の導入や、環境にやさしい交通システムを造り上げていくことが必要である。

4．高齢者や障害を持つ人たちも安心して生活できる、安全で暮らしやすい都市づくりに取り組まなければならない。そのためには、ユニバーサル・デザインによる環境づくりはもちろん、利用しやすい生活施設の整備や人にやさしい交通システムの確立などに取り組む一方、人びとが相互に支援しあえる「人間」環境づくりが必要である。

5．都市が賑わいや魅力を持つためには、さまざまな機能が共存することが求められ、とりわけ、人びとが気軽に集い、さまざまなことを享受できる、「まちの顔」となるような、愛着のもてる場所が必要である。また、次代を担う子供たちのために、人と人が交流でき、自然や環境の仕組みやさまざまな仕事を、経験し学ぶことのできる場が準備されなければならない。

6．地域にとってかけがえのない文化や風土を基礎に、新しい生活文化や価値観と融合した、人びとの顔の見えるような都市づくりを進めることが、人びとに感動や安らぎを与え、持続的な発展の基本となることを認識しなければならない。このようなまちや地域が連携することによって、共に成長していく地域社会が形成されるものと確信する。

7．この会議において得られた成果は、国際的な情報交流と、それに基づく討論によってもたらされたものである。この成果をふまえ、世界に発信することのできるような、都市づくりにおける新しい「参加」の仕組みを構築することへの挑戦が、この地において展開されることに期待する。

人生100年、更なる出会いを求めて

懐かしい級友との思い出と更なる展開に向けて（丹波ＯＢ大学　２０１４年）。

大阪府立大学で19年間、兵庫県立人と自然の博物館、兵庫県立大学で22年間、計41年間にわたる現役生活を、無事、この２０１４年3月に終えることができました。この間に、丹波地域の皆様方をはじめ、多くの方々にお世話になりました。この紙面をお借りして、心からお礼申し上げます。

この年齢になりますと、青春時代、学生時代の思い出がこみ上げてくるのでしょうか、あるいは今年は特別なのでしょうか、同窓会の案内が頻繁にありました。高槻中学・高校の同窓会が、母校のある高槻で、大阪府立大学農学部農業工学科の同窓会が賢島で開催され、久しぶりに参加してきました。

中学・高校の第18期生の同窓会は２５０人中、21名の参加で、人数的にはやや寂しかったのですが、同窓の仲間が、学校全体の同窓会長に就任したことで盛り上がっていました。お世話になった先生のこと、同窓生のこと、クラブ活動のこと、卒業後の社会での活動などなど、懐かしく語り合いました。仲間の内、殆どはリタイアですが、医者や弁護士は、まだ現役で活躍していました。

大学の同窓会では、学科第3期卒業生25人中、16名の参加でした。4年間、さらに大学院に残った仲間は6年間、少人数で濃い付き合いがあったからでしょうか、全員が第一線をリタイアしていても、賢島のホテルに宿泊して、恩師のこと、将来のことを夜遅くまで大いに語り合いました。専攻学科が農業工学でしたので、農業用ダム、ため池、排水溝、公園など、卒業後の社会での活動が近かったからでしょうか、濃密な議論がありました。次回は九州でということで解散しました。同窓生の一人が、自家産（滋賀産）のお米３kgを全員にお土産として持参してくれていました。うれしさ半分、重さの苦痛半分でしたが、家に帰って妻が大いに喜んでくれたことで再び仲間への感謝がこみ上げてきました。

このように、かつて学びや活動を共にした仲間は懐かしい思い出や苦労を共有していることで、終生の良き友であることは言うまでもありません。しかし、退職後、更なる出会い、新たな友を求めて社会で活動することは重要と思います。人生90年１００年の時代です。

丹波ＯＢ大学の皆さまは、これまでの人生の中で、社会や地域で、多くの仲間をお持ちのことと思います。ＯＢ大学では、さらなる知識や経験を深めることに加えて、仲間との出会いを進めておられることと思います。仲間が増え、更に仲間を生む、このスパイラルアップの活動を推進され、多くの仲間と共に社会に貢献されることを期待申し上げます。

大阪時代の農場実習風景、大阪府立大学、堺市

大阪府立大学農学部緑地計画工学研究室、金剛寺へのハイキング、河内長野市

地域コミュニティは健在

地震などの発生後、どのタイミングでお見舞いを伝えるべきかを悩む場合があります。「大阪北部地震」後の、家族や仲間からの絶妙のタイミングでの連絡の入り方、「台風21号通過」後のコミュニティ内での健全な会話を紹介します（２０１８年9月）。

２０１８年（平成30年）は9月までで、かつて経験したことのないレベルの地震、豪雨、暴風が続いています。始まりは、６月18日朝の7時58分に発生し、高槻で震度6弱を記録した「大阪府北部地震」でした。次が、台風7号や梅雨前線の影響で、６月28日から7月８日まで続いた、西日本を中心にした集中豪雨でした。第三は、最大瞬間風速が観測史上最大の58・１mを記録した、９月４日の台風21号による暴風でした。これらを通して、①地震後の、電話、メール、ＳＮＳを通したお見舞い、お問い合わせなどの相手の絶妙の継時的な変化、②恐怖を感じた豪雨の記憶、③台風通過後の地域コミュニティの再確認に関して思い起こす事項を、ここに記録しておきます。

この原稿を書いている最中の、９月６日には、午前３時８分ごろ、北海道胆振《いぶり》地方を震源とする「平成30年北海道胆振東部地震」が発生し、厚真《あつま》町で震度7を観測したとのことです。人的、物的な大被害と共に北海道全域が停電などの事態が発生しました。

地震後、連絡の継時的変化

大阪府北部地震では、震度6弱を記録しました。高槻市内の小学校のプールのブロック塀が倒れて、小学生が犠牲になった悲惨な事故がありました。我が家も、軽微な被害でしたが、被災者の仲間入りをしました。離れの屋根瓦が被害を受け、せっかくリフォームしておいた母屋の壁にひびが入りました。近所に高倉と称するかつての倉庫跡がありますが、そこの石垣の石が飛び出していました。かつての阪神・淡路大震災の時より、今回の方が、揺れはひどかったと感じています。色んな人から、地震についてのお問い合わせ、お見舞いをいただいたのですが、この順番が「なるほど」というように不思議と自分なりに納得してしまいました。皆様方のご配慮を温かく感じさせて頂いた次第です。

地震直後、①8：00に東広島の長男から固定電話に連絡があり、次いで、8：02には、長男、次

地震問い合わせの順番

18日

家族間

8：00 固定電話：長男 敏、8：02 Group LINE で会話、Group LINE：長男から次男、長女へ、そして固定電話、携帯：全員から

職場関係

8：11 SNS：山本（淡路景観園芸）、8：21 SNS：辻本（淡路温室）、8：32 SNS：塚原（淡路景観園芸）、9：1 6 館 MAIL：秋山（ひとはく）、9：26 LINE 嶽山（ルイジアナ州立大学）

先輩、同僚、友人

8：20 携帯電話：杉本（福岡、先輩）、9：49 SNS：天川（神戸）、10：01 MAIL：毛利（富山）、10：33 MAIL：岩槻（横浜）、10：51 MAIL：楠見（三田）、10：58 LINE：門上（神戸）、11：09 SNS：大久保（鳥取）、11：14 SNS：井原（池田）、12：35 SNS：植松（淡路）、12：42 SNS: 谷（淡路）、15：10 携帯電話：川根（横浜）、18：11 館 MAIL：八尾

19日 **先輩、同僚、友人**

18:30 SNS: 田村（前日は藤本さんに問い合わせ）、18:45 携帯電話：木田（南あわじ）

20日 **先輩、同僚、友人**

12：05 携帯電話：服部、18：27 MAIL：林

21日 **先輩、同僚、友人**

9：04 SNS：田代（千葉大）、13：00 過ぎ：江崎さんからもあったとのこと、布野さんから、後日、ハンブルグから小林氏

瓦がずれた我が家の離れ、高槻市

男、長女の家族間で、被害、安否に関して、グループラインでのやりとりがありました。8：10過ぎから、②勤務先である人と自然の博物館、淡路景観園芸学校の関係者から、ライン、メールでの、お互いの被害状況の確認のやりとりが9時過ぎまで続きました。8：20に、遠隔地の先輩から電話を頂いたのですが、多くの仲間、同僚、友人からは、③10：00頃から18：00にかけて頂きました。翌日、翌々日には、④旧知の、そして、遠方の友人たちが、うまく間を置いて、落ち着いた頃を見計らって連絡してくれたような案配です。

　関西圏の方々と、この地震について話す場合に、「我が家は震源地の上」「ニュースにある震源地の×マークの上」といえば、相当に受けていたように感じていました。しかし、他地域の方々には、あくが強すぎたのか、余り受けなかったようです。

上甫木先生ごくろうさまでした

上甫木昭春先生のご退職のパーティーでの祝辞です（２０１９年３月）。

上甫木先生、本日はおめでとうございます。長い間の勤務、ご苦労様でした。上甫木先生とは、40年ほど前から、お付き合いさせて頂いてきております。共通点は、大阪府大、故久保貞先生、人と自然の博物館、そして、専門の造園、ランドスケープです。

私は、上甫木先生の指導教官として、１９７６年（昭和51年）から、大阪府立大学農学部、大学院でご一緒させていただきました。当時、私は助手でしたので、講義はなくて、設計・製図、外書講読、卒論などの指導でしたが、その当時の記憶はほとんどありません。ただ、休講や時間があれば、お元気な学年でして、よくソフトボールをしたことなどは覚えています。その後、上甫木先生は、府大の助手になられてからは、同僚としてお付き合いいいただきました。

先生は気が長いと皆さん感じておられると思いますが、このころに先生の気の短さを学習していました（白鷺門からよく難波までタクシーで通ったものでした）。

先生には、ご経歴で紹介されておられるように、府大と景観設計を行き来していただき、大変ご迷惑をおかけしました（これは、私の責任ではないのですが、誰がそうさせたのか、おわかりになる方にはわかられると思います…）。当時、上甫木先生には、「私が然るべきポストに着いたら、お迎えするチャンスをつくる

上甫木先生定年記念式典、堺市

から」云々の言葉を交わしていたと記憶しています。

平成になって、上司として、三田にあります兵庫県立人と自然の博物館、そして兵庫県立大学にお越しいただけました。当時、博物館には理学部出身の研究者が多くおられましたので、何かと先生はご苦労されたものと思います。ただ、その頃の経験が、先生のネットワークの広さ、大阪府大に戻られてからのご活躍に役立ったのかなと思っています（人と自然の博物館に勤務し、三田近辺で自宅を建設すると、他大学の然るべきポストに栄転する…この習わしを創られたのが上甫木先生でした）。その後のことは、他の方々の方がお詳しいと思いますので、お譲りいたします。

最後に、上甫木先生のますますのご発展、ご健康を祈念申し上げますとともに、長年にわたる奥様のご努力、ご尽力にお礼を申し上げまして、お祝いの言葉とさせていただきます。

後日談があります。かつて、私が所長を務めていた丹波の森公苑内にある丹波の森研究所の門上さんと塩山さんが、２０１９年４月に、博物館に訪ねてきてくれました。用件は、塩山さんが、海外青年協力隊員としてヨルダンに行くので退職するとのことでした。また、塩山さん退職後の研究所運営に、門上さんが考えあぐねているとのことでした。３人で暫し歓談した後、ふと、退職された上甫木先生に応援を依頼してはと思い付いたのでした。偶然なことに、先生のご自宅と丹波の森研究所とは、車で１時間弱の距離でした。その場で、上甫木先生に連絡を取って、前向きな意向をお聞きしていました。その後、この件は順調に運んでいるとのことです。またも、上甫木先生の人生にお節介をしてしまったのかと思っている次第です。

先輩との絆

カリフォルニアのポモナに在住されていた上杉先生から、ある日、フランス人写真家、クロード・ルフェーヴル氏の日本庭園の写真展を、日本で開催してほしい旨の依頼がありました。このことが端緒になって、「人と人を繋げた上杉武夫先生」の原稿を公園緑地の雑誌に書いたことがあります。

博物館関係の先輩では、創り上げるのに一方ならぬご指導を頂いた、ひとはく初代館長の加藤先生、私に博物館の世界での生きざまをご教示いただいた大阪市立自然史博物館元館長の那須先生のことを紹介しています。大学関係では、専門職大学院緑環境景観マネジメント研究科の設立に、大いに力を頂いた兵庫県立大学の初代学長の熊谷先生を紹介しています。日常生活の中で、私を育て、生きざまを教えてくれた祖父母、父母のことを生物多様性と関連させて紹介しています。さらに、現役時代にお付き合い頂き、造園、まちづくり、博物館などに関して、大いに影響を受けた先輩の皆様方との交友関係に関しての原稿も収録しています。

お世話になった多くの偉大な先輩方の人となりをイメージしながら、本章をお読みいただけましたら幸いです。

人と人とを繋げた上杉武夫先生

敬愛する上杉先生が、写真家ルフェーヴル氏と私たちを結びつけてくださり、さらに、この繋がりが広がっていきました。その繋がりが連鎖する物語です（公園緑地　加筆編集　２０１７年6月）。

大阪府立大学農学部緑地計画工学研究室の大先輩で、私たちがこよなく尊敬していた上杉武夫先生は、カリフォルニア州ポモナにあるカリフォルニア工科大学（略称・カリポリ）で、約40年余の長きにわたって、アメリカ人学生たちに日本庭園について教育し、彼の地で日本庭園造りを実践されてきました。また、造園を学ぶ多くの日本人が、アメリカ訪問の際は、常にお世話になった方です。私事ですが、１９７６年（昭和51年）最初の訪米以来、30～40代の頃を中心に、年に何回となく学会や調査などで渡米したのですが、その度にお世話になっていました。アメリカの造園関係の学会、協会、大学での発表の機会をいただいたり、ご自宅に泊めていただいたり、時差を解消するために（ビール付き

上杉、中村先生たちが造営した日本友好庭園、サンディエゴ市

の）ゴルフに誘って頂いたりと、いつも大変お世話になってばかりでした。

時には、辻本さん（淡路夢舞台温室）や私の環境ゼミの学生、鈴木さんと一緒に、同大学の次世代再生産学研究所に宿泊させて頂いたこともあります。この研究所は、上杉先生の同僚であり、私のアメリカでの恩師の一人でもあるF・ディーン先生やJ・ライル先生たちと上杉先生たちが立ちあげられ、アメリカの建築学会賞も得られた施設です。教員、学生が共に持続可能な住まい方を学ぶ環境共生型の建築です。２０１７年（平成29年）1月にも、大阪府立大学に転任した上田さんたちと訪問してきました。今も、有効に、先進的に運営されておられる様子でした。

余談ですが、この研究所の設立準備のために、上杉先生とJ・ライル先生たちが日本各地を訪問されていました。千里ニュータウンに来られた際に、同行させて頂きました。その際、ライル先生が、会館で営まれていたお葬式に迷い込んで所在不明になりました。みんなで「ジョーン、ジョーン！」と探したことを思い

ルフェーヴル氏とともに。筆者、ルフェーヴル氏、藤本さん、大平さん、人と自然の博物館での展示、三田市

ルフェーヴル氏の写真展、展示解説、京都御苑にて、京都市（ひとはく、大平氏提供）

出します。上杉先生が「犬を呼ぶように叫ばないで！」といわれたことを、不思議と鮮明に記憶しています。

２０１５年の秋、パリ日仏文化会館で、上杉先生ご夫妻が、フランス人写真家で文化人類学者であるルフェーヴル氏の写真展「風情—日本庭園」を観賞され、氏と意気投合されたそうです。その後、日本でのルフェーヴル氏の写真展開催について、上杉先生と旧知の、九州芸術工科大学で教鞭を執られた杉本先生（名誉教授）を通じて、私に打診がありました。その結果、２０１６年の秋に、ルフェーヴル氏の写真展を、兵庫県立人と自然の博物館で開催することができました。さらに、淡路夢舞台、京都御苑などでも開催できる予定です（最終的に全ての写真展は成功裏に終了しました）。残念なことに、写真展の開催を前にして上杉先生はご逝去されてしまいましたが、上杉先生ご存命中の最後のメール、手紙を頂き、兵庫県の関係者、環境省の田村京都御苑所長（当時）、博物館のスタッフには大変ご苦労をかけましたが、先生のご意向を実現すべく精一杯の努力をしてきました。

杉本先生と上杉先生は、昭和44、45年頃でしょうか、大阪府立大学農学部の助手、講師をされていて、当時、私たちの学年は3年生だったと思うのですが、講義や実習で教えて頂いた記憶があります。このような縁で、上杉先生がおられた大学、カリポリと杉本先生がおられた大学、九州芸工大とで学生の交換留学制度が結ばれたと聞いています。

写真展開催の報告を上杉先生の奥様に差し上げたのですが、すばらしい内容の返事を頂きました。少し紹介させていただきますと、「ルフェーヴルさんの写真展がいよいよ始まったとのこと、多大なご尽力の賜物と心からお礼申し上げます。主人の御霊も自分の最後の人と人を結ばせてもらう御用が、こうして立派に実現することになり、安堵していることでしょう。…日本とフランスの文化の架け橋としてこれからもどうぞよろしくお願いいたします」との感動的な手紙でした。

同時期にカナダ在住の古くからの友人、建築家の橋本潤一さんが来日していたのですが、彼からも「…2日前、膏薬辻子《こうやくのずし》でフランス人写真家に偶然会いましたが、今、三田の自然博物館で展覧会をしているといって招待してくれました。ルフェーヴル夫妻でした。中瀬さんの所ですね。…又の再会を期待しています」とのメールをいただいていました。

まさに世界を繋げる上杉先生の面目躍如たるものだなと感動すると共に、これからも上杉先生の意思を継いで、人と人を繋げる努力をしていこうと再確認しました。

加藤幹太先生の思い出

人と自然の博物館の準備室で、私たち自然系博物館準備室員は、加藤先生の人並外れた調整能力に感動するとともに、多くのことを学びました。大学、行政、教育委員会…これらの方々と、大学研究所の教員が、博物館を兼務するとの合意をまとめられました（書き下ろし　2019年1月）。

2019年（平成31年）正月、加藤幹太先生から、例年通り年賀状を頂いていました。その末尾に、高齢故に、今年で年賀状は終わりにする旨を記されていました。「そうなんだ！」との感慨を抱きながら、兵庫県立人と自然の博物館の設立準備期から開館・運営まで、大変お世話になったことを妻と話していました。その直後、1月7日の夕刻、博物館から加藤先生の訃報が届きました。次の日の葬儀・告別式には、残念ながら出席できませんでしたが、博物館の太田先生が出席されて、ご葬儀・告別式の様子を報告いただきました。その一部を、太田先生から了解を頂きましたので紹介します。概要は、「…ひとはくからの参加者が目につかなかったので、差し出がましいかとも思ったのですがご遺族には、幹太先生には初代館長として立ち上げ直後の人博の組織体制づくりで大変お世話になったこと、おかげで今も頑張れていることをお伝えし、中瀬現館長が出張先にあるためご葬儀に参列できない事情を説明しておきました。弔電の紹介では、京大総長、滋賀大学長に次いで、3番目に中瀬館長からの弔意文が紹介されていました。…」です。

博物館の設立準備室は、旧兵庫県警本部の別館、県庁の東南に位置する民間の中尾ビル2F、県庁の西北にある兵庫県の建物である生田庁舎４Ｆを転々としていました。その後、今の三田の地で博物館が開設されました。生田庁舎に準備室があったころから開館の数年後まで、加藤先生に大変お世話になった出来事などを思い出しながら本文を書きとどめました。加藤先生への大いなる感謝の意を表するとともに、この文章をご霊前に捧げて、心からのご冥福を関係者一同とともにお祈りいたします。

伊谷先生時代の博物館構想

（仮）兵庫県立自然系博物館の初代準備室長は、故伊谷純一郎先生でした。当時、私は主任指導主事として準備室に在籍していたのですが、伊谷先生に着任して頂いて、ほっとした気持ちになっていました。しみじみと、漸く準備室に確たる芯ができたと実感していました。超前向きな実践主義の先生で、前例には拘らない、世界を見よ、世界の最先端を、研究者としてプライドを持て、タコ壺から出よ…と、常に私たち準備室員にゲキを飛ばして頂きました。

今の、兵庫県立大学の教員が博物館の研究員を兼務する仕組み、研究者40人の定数について準備室で議論していた時期でした。「君らは黙ってろ。私がする」との指示のもと、伊谷先生自ら、当時の貝原知事と協議し、これらの大枠を決定して頂いたのです。準備室員の大多数を、海外の博物館調査に派遣して頂けました。澤木先生（現、大阪大学教授）を準備室に採用する際の手続き（採用試験）について、教育委員会の人事担当と私が電話でもめていた際に、私の背後の机に座られた先生から、「負けるな！」と声をかけていただいたことは懐かしい思い出です。学位・技術士の資格があり、査読論文、著書・報告書が多数ある人材を、当時の教育委員会では、新規採用職員の一般採用試験と同じように扱われていたのです。研究者を採用する際の常識では考えられないことですが、当時の準備室が置かれていた状況を如実に物語っている話題と思います。

加藤先生の出番

伊谷先生は実質4カ月（公的には1年）で設立準備室を去られました。先生の心中で思われることは多々あったと推察できますが、私たちの慰留に対して「博物館の基本方向は見えた。私の仕事は終わった…。後任は推薦しない」との一点張りでした。準備室員が途方に暮れ、何とか次の準備室長の推薦を伊谷先生にお願いしていた頃のことです。当時の準備室の幹部、服部、中西、江崎、中瀬らを集めて、後任の方に「歯向かわないこと、従うこと」を確認されました。このことを前提に推薦して頂いたのが加藤幹太先生でした。今から思いますと、伊谷先生が密やかに仕組んでおられたのではないかと思えるような、絶妙の素晴らしい準備室長の交代劇でした。

伊谷先生にご苦労いただいて再構築できた博物館の基本構想を実現するために、各種ステークホルダーの方々に対して、加藤先生には、最高の調整役、コーディネーター役を果たして頂けたのです。設立時、姫路工業大学の学長をはじめ、工学、理学、環境人間学部の学部長との交渉、兵庫県当局や教育委員会との調整、これらを統合的に進めていただけたのでした。最終的には、兵庫県立姫路工業大学に自然・環境科学研究所を設置し、そこの教員が博物館を兼務する形になりました。さすが、京都大学紛争時の学部長、学生部長経験者と、準備室内で称賛するとともに、大いに敬意を表していたことを覚えています。このお陰でしょうか、淡路、西播磨、豊岡、青垣に、次々と設置された研究所の各系は、何の障害もなかったようでした。

既に退官された田原先生と私が引き起こした事件で、加藤先生に多大なご迷惑をかけたことがありました。加藤先生のご尽力にもかかわらず、遅々として博物館の準備作業が進まない時期がありました。当時の貝原知事のブレーンであった米花先生を、尼崎のアルカイックホールに訪ねて、現状改善へのご協力をお願いしたことがありました。その夕刻、米花先生には、当時の貝原知事、清水教育長さんたちとの会合があって、私たちの依頼内容を、そのまま伝えて頂けたようでした。次の日、生田庁舎の準備室に出勤すると、何か部屋中に空気がピンと張っている気配を感じました。「昨日、米花先生にチクったの誰？」と教育長から問い合わせが来ていたのです。中瀬と田原ですと名乗り出ただけで事態は終息したのですが、加藤先生からは「ようやらはりましたな！」と一言頂いて一件落着でした。

開館

1992年（平成4年）10月に兵庫県立人と自然の博物館は、今の三田の地に開館したのですが、加藤先生のご自宅がある滋賀県の石山から、兵庫県の三田までの通勤は大変だったと思います。よくお越しいただけたものと、今更ながら感謝申し上げています。

開館記念式典の際、秋篠宮殿下にご臨席いただけたのですが、関係者が一瞬凍り付いた出来事がありました。開館記念式典会場のホロンピアホールに、加藤館長の先導で殿下が到着された直後、国旗が舞台上に降りてくる手はずをしていたのですが、機械的トラブルで動かなくなってしまったのでした。2～3分で作動したのですが、関係者全員、大いに記憶に残る出来事でした。その後、加藤先生におかれましては、何事もなかったかの如く粛々と開館記念行事を進行されていました。

開館後数年で、阪神・淡路大震災が発生しました。当時、交通インフラは壊滅状況でした。ＪＲ線の尼崎駅から以東が動きだした頃、加藤先生とＪＲ高槻駅で合流し、車で、亀岡、篠山を経由して三田の博物館に辿り着いたことも懐かしい思い出です。

その後、滋賀大学の学長に推薦され、人と自然の博物館からご栄転されていかれたのでした。寂しさとともに、私たちの加藤館長が、国立大学の学長さんに迎えられた喜びを感じていました。

貝原俊民前知事の思い出、世界に冠たる博物館

故貝原俊民前知事に、お世話になった多くの思い出です（書き下ろし　２０１５年）。

今では、兵庫県丹波地域の年中行事となったシューベルティアーデたんば。そのファイナルコンサートが終了し、来場者が森公苑のホールを後にされている時に、偶然、貝原俊民前知事とお話しする機会がありました。「市民が中心になって、よくぞここまでできるようになったものだ!」「20数年前に思っていたことを、今、実現している…」と、お褒めの言葉を頂いたのが、２０１４年（平成26年）11月9日の夕方のことでした。

シューベルティアーデたんば 2014 ポスター

前知事が、森公苑の設立時にイメージされていた情景、市民が主体的に事業を企画、立案し、運営する姿、それが今ここで展開しているのだと感じて頂いたのかなと思っていました。ところが、非常に残念なことに、この4日後の13日、交通事故で前知事は、突然ご逝去されてしまいました。

（財）兵庫丹波の森協会が、２００８年（平成20年）に20周年を迎えた際、記録集を作るために前知事をＨＡＴ神戸の事務所に訪問したことが

あります。丹波の思い出を綴られた自筆のＡ４の便せん数枚をご準備頂き、「よくぞヒヤリングに来てくれた！」とばかり、時間の過ぎるのを忘れて多いに語って頂きました。途中で、前知事が感極まれた様子をみせられた際、私たちの方が大いに感動したことを憶えています。忘れられない思い出です。

このような活動ができたのは、１９９０年（平成2年）に人と自然の博物館（ひとはく）の設立準備室に、兵庫県教育委員会の主任指導主事として採用頂いたことが、事のはじまりです。貝原知事（当時）と初代準備室長の伊谷純一郎先生との会談で、わが国初の自然系と環境系を統合し、かつ大学教員制を導入したユニークな博物館を設立するということが合意されました。この千載一遇の機会に立ち合わせて頂けたのです。世界に冠たる博物館、行動する博物館、研究員40人体制の基礎がつくられた瞬間でした。

開館10年後、やや停滞していた博物館活動に、当時の貝原知事から「何をしているのか」と叱咤激励の言葉を頂いたことがあります。これが契機となって、わが国の新しい博物館マネジメントを先導する「ひとはくの新展開」が始まりました。その後、前知事にお会いする度に「博物館はどうですか？」と声をかけて頂いたものです。伊谷、加藤、河合、岩槻先生と、世界に冠たる一流の学者館長を招聘頂けたことも、前知事のご見識の高さ故と思いますし、兵庫県立のひとはくとして誇るべきことです。

１９９３年（平成5年）、ビオトープの用語がまだ一般化してない時期、貝原前知事からビオトープ調査のためにドイツに調査・研究に行くようにとのご指示がありました。ひょうごビオトーププランニングのはじまりです。今では、生物多様性、エコロジカル・ネットワークなどの言葉が一般化していますが、ビオトープ関連の先駆的な試みが兵庫の地で始まった瞬間でした。

ひとはくのみならず、丹波の森、コウノトリの郷、淡路景観園芸学校（大学院）、有馬富士公園など、幾

学校ビオトープ　緑の屋根、草の校庭、カールスルーエ市

生きものトンネル、カールスルーエ市（勝野武彦先生提供）

多の新しい挑戦の機会に参加させて頂けました。兵庫ならではの、先導的で地域密着型の試みであると敬意を表する次第です。このような参加の機会を頂いたことに厚くお礼申し上げますとともに、貝原俊民様のご冥福を心からお祈り申し上げます。

緑環境景観マネジメント研究科の恩人、熊谷信昭先生

兵庫県立大学の初代学長の故熊谷信昭先生とは、何かとご縁があって、三田の人と自然の博物館のみならず、淡路景観園芸学校、緑環境景観マネジメント専門職大学院を含めた自然・環境科学研究所にも、多くのご配慮を頂いてきたところです（文部科学省設置審研究科長予定者所信表明　２０１８年）。

筆者がカリフォルニア大学バークレー校に滞在した10数年も前に、熊谷学長は、学部は異なりますが、このキャンパスに数年間滞在しておられたとのことです。バークレー校の学風・雰囲気、開放的で美しいキャンパス・ランドスケープを、こよなく好んでおられたような印象があります。学長に就任されて最初の、県立大学首脳陣とマスコミの方々との懇談会は、バークレー校の風景を思わせる淡路のキャンパスで開催して頂けました。これに到るまで、学長は専門職大学院の開設に大いに力を発揮して頂いたのです。その例として、設置審での一コマを紹介します。

２００８年（平成20年）９月５日の午後、文部科学省にて、設置審からの最終面接（ヒヤリング）がありました。これまでに、専門職大学院設置許可申請書に対して、文科省から、７項目の指摘事項を盛り込んだ警告書（赤紙・本当に赤い用紙にプリントされています）を頂いておりましたので、この場には、熊谷信昭兵庫県立大学学長（当時）と中瀬（研究科長予定者）が気合いを入れて出席していました。

この日までに、学長から大学本部への呼び出しがありまして、学長は「新研究科設置に際しての学長表明

文を用意した」、あなたも「研究科長予定者として表明分を用意するように」とのご指示を頂きました。

設置審面接（２００８年９月５日）では、周りが大いに納得するような、堂々とした、気持ちのこもった学長表明がありました。内心、「さすが熊谷学長！」と心の中でエールを送っていました。次いで、私も研究科長予定者として、以下のような主旨のことを申し上げました。このように、学長からの大いなるご協力・ご指導の下で開学にこぎ着けることが出来たものと感謝しています。

・研究科長予定者として任命されている私、中瀬より設置認可申請をしています研究科の概要についてご説明いたします。

・今回認可申請をしています研究科の名称ですが、設置審の皆様から頂きましたご助言・ご示唆に基づきまして「緑環境景観マネジメント研究科」と改めさせて頂いております。

・学長からもご説明致しましたとおり、今回の申請は「すぐれた景観をそなえた風格ある都市や美しい地域をつくり、良好にマネジメントしていく専門技術者」を育成しようとしているものです。（中略）

・このような教育に有用な環境を最大限に活用して、地に足の着いた教育を展開し、これからの緑環境景観マネジメントを担っていく人材育成の新しい姿を全国に発信していく所存であります。

博物館の育ての親、那須先生

博物館の専門に身を転じてから、この方なら一緒に博物館活動ができると感じた恩人です。西日本自然史系博物館ネットワークなどご一緒しました（那須先生の思い出　２００５年8月）。

那須孝悌先生とのお付き合いの期間は、過去十数年間と短かいものでした。今から思いますと、新時代における博物館の「新しいマネジメント」ともいうべき非常に濃い内容の議論に参加する機会を頂き、ご指導頂いたものと、心から感謝申し上げる次第です。那須先生とは、研究面では全くの接点はなく、博物館のマネジメントの面、行政の皆様との付き合い方の面で意気投合したことがあります。これからの博物館などで重要な領域である連携、生涯（環境）学習、広報・啓発活動、市場調査、顧客満足度調査などの重要性を示唆頂いたものと思っています。

自然史系博物館の育ての親

昭和の時代、筆者は堺市にある大阪府立大学農学部に在職していました。長居植物園にたまに訪れてはいましたが、専門性（造園、まちづくり）故に、那須先生のみならず、大阪自然史博物館の皆様さえも知りませんでした。那須先生との出会いのきっかけは、平成2年に、博物館の設立準備に従事するために兵庫県教育委員会自然系博物館（仮称）設立準備室に転職したことから始まったと思います。その後、１９９２年（平成4年）に、兵庫県三田の地に、兵庫県立「人と自然の博物館」（以降「ひとはく」と称する）を開館することができたのですが、このころから、「凄い人が大阪におられる……」と那須先生の人柄なり、博物館活動なり、専門性なりについての噂を、仲間の職員・館員から縷々聞いていました。また、準備室時代から開館にかけて、そして今日に至るまで、大阪自然史博物館に育ち、那須先生の指導を受けた「ひとはく」の館員が、展示、友の会、企画展などに関して、大いに貢献し、活躍してくれたことは言うまでもありません。「ひとはく」のみならず、多くの自然史系博物館が、那須先生をはじめ大阪自然史の方々に大変なお世話になったものと思います。まさに、那須先生は、多くの自然史系博物館の育ての親なのです。

博物館ネットワークの育ての親

那須先生との最初の出会いは、2001年（平成13年）度に始まった「環瀬戸内地域（中国・四国地方）自然史系博物館ネットワーク推進協議会」であったと記憶しています。会議の内容は、ほとんど記憶に残っていませんが、会議後、館長室で缶ビールを頂きながら、博物館相互間での展示、情報、ノウハウの交流について熱く語られていたことを鮮明に記憶しています。この協議会での成果は、『「地域の自然」の情報拠点自然史博物館』（高陵社書店、2004年）に詳しく紹介されています。これからの成熟社会、学習社会でますます重要になるであろう博物館の役割を、博物館コミュニティ、ネットワークのパワーで展開しようとする試みであるものと高く評価できます。しかし、この本の出版に関して、那須さんは殆ど細かな口出しはされなかったものと推測しています。

この協議会から「NPO法人西日本自然史系博物館ネットワーク」が生まれることになるのですが、当然のこと、柱の中心は那須先生でした。高知の牧野植物園で「NPO法人の設立準備会」が開催されたのですが、筆者が「理事長は当然、那須さんにお願いしましょう！」と発言したときの「嫌そうな、はにかんだ、嬉しそうな（？）表情」を鮮明に記憶しています。まさに、「博物館ネットワークの育ての親」になられた瞬間の表情でした。

その後、このネットワークが主体になって、大阪自然史博物館や、広島県、奈良県などでのイベントやシンポジウムを通じて、博物館活動を広報・普及する活動に展開していったのです。

まとめ

大げさですが、私の博物館人生を維持することができた那須さんとのエピソードを紹介して、まとめとします。ある日、大きな標本群（兵庫県在住者の所有）の寄贈（大阪自然史博物館あるいは兵庫県立人と自然の博物館）が話題になった際、那須先生に、相談とお願いに行ったところ、まさかここまで言って頂けるとは思っていなかったのですが、「地元の標本は地元の博物館が収蔵する方が望ましい」との御発言を頂き、私事ですが胸を撫で下ろしたことがあります。権威主義、形式主義、覇権主義ではなく、地域主義、現場主義を貫く那須さんの姿勢に感銘すると同時に、今後の博物館活動の基本として深く肝に銘じた次第です。

那須さんとのこれまでのお付き合いを通じて、学んだ考え方、技を、「広く博物館に関しての事項」、「個人的な事項」として以下に記してまとめとします。

1　広く博物館に関しての事項

（1）博物館組織のフラット構造、セミラティス構造での運営。人に任せることが上手。職員の提案に乗る（ふりをするが自分の意見を通す、乗せ上手、使い上手、まさに指導者、リーダー）。

（2）博物館運営の近代化、マネジメント、連携、ネットワーク化の推進。
（3）自然史系のみならず多くの博物館の育ての親。
（4）那須さんから、大阪自然史、西日本、そして他に拡大。
（5）博物館相互間の切磋琢磨、緩やかな連携へ（ファミリー・ネットワーク）。
（6）博物館の新しい時代での新しい方向性の展開。
（7）この背景には、運営、研究面で現場からの発想。

2　個人的な事項

（1）幅広い交流（共通の趣味が重なり、専門が重ならなかったこと）。
（2）媒介役、仲介役（那須さんから始まった、多くの職員の方々との交流、他博物館との交流。ひとはくだけではお付き合いの術がなかった）。
（3）ひとはくの支援者（ひとはくキャラバン実行委員会、ひとはくフェスティバル、館長会議）。

生物多様性を支える人たち

私を育んでくれ、原風景を形成する原点となった農家の我が家族へのお礼を込めた話です。農家の生業、生活そのものが、生物多様性を維持しているのだとの論調です（人と自然の博物館　ハーモニー原稿２００８年11月）。

「農家に生まれ、農家で育ち、農学部で学び……」云々のことを、ひとはく手帳に書きました。私の原風景は、かれこれ60年程前の生物多様性を支える農家の生活の中で育まれたと思います。わが家のカド（にわ）周りには、モモ、クワ、カキ、グミ、イチジク…などの食用や有用植物が植えられ、カドの隅では、四季の野菜や草花が栽培されていました。さらにカドでは、農作業後の落ち穂やミミズなどの土中の生きものを啄むニワトリも飼育されていました。彼らは、お正月やお盆には、重要なお祝いの食材になっていました。多くの生きものが、わが家の生活と共生していました。まさに、今で言うキッチン・ガーデン、あるいはエディブル・ランドスケープであったようです。

畑、父親の実家、高槻市

春の田ならし、苗代づくり、畦塗り、アゼマメ（枝豆）の播種、そして田植え、その後の水管理や畦の草刈り、そして田刈やいなき干し、脱穀作業…、これらはいうならば多様な生きものの住処を提供し、共生していたといえます。梅雨時の出水時に産卵のために排水路を遡上するフナ、コイなどを取る「あんこ（網で編んだもんどりのような仕掛け）つけ」は、子どものころのワクワクした素晴らしい思い出です。川をせき止めて集落総出で、フナ、コイ、ウナギ、ナマズ、モロコ、ドブガイさらにはスッポンなどまで捕獲した「かいぼり」も忘れられない思い出です。二百十日、二百二十日には、集落の氏神さん、春日神社で、稲を水害から守って貰うためのお百灯をあげる手伝いをしたこともありました。

冬の農閑期には、集落の有志で、近くの山のクヌギやコナラなどの立木だけを買いとり、山仕事、薪づくりをしていました。これらの幹を、ノコギリで一定の長さに切りそろえる仕事は、子どもにとってはきついものでした。しかし、カミキリムシやカブトの幼虫に、作業の途中に遭遇するなどして、思い出深いものです。

あんこ（網もんどり）
「あんこ」の設置は、気象に対応して、設置の仕方に大いなるコツが！
魚の行動の理解。
静的展示、動的展示？
子どもの頃の私の遊び道具です.!!!
もんどり
ウナギ、スッポン！
うなぎかき
もんどり（大・中・小）
泥の中にいるうなぎをとるのに用いたもの。
☆祖々父、久一郎は漁具などを自作していました。
☆他に、扇サデ、かいぼりの思い出。
☆私の釣り好きのDNA？
☆農繁期 畦畔に置かれた「ふご」は懐かしい「ゆりかご」の様な記憶があります。
ゆりかご広場？の思いで
期にここへおひつを入れておくと、

これらのことを経験させてくれたのは、百姓として営々として働いてきた、今は亡き祖父母たちです。多

くの農家は、自然のリズムの中で米作などの農業を営み、山仕事をしながら、生物多様性を支えていたといえます。生業としての農業、林業が、里地・里山の生物多様性を支えていたのでしょう。自然と人々との生業が良好な相互依存関係を保持していた頃のことです。今でも多くの生きものたちは、かつてのように庭や垣根、農地、水路、道ばた、ため池、山林で生息しています。

では、兵庫の生物多様性を支える人たちとは誰なのでしょうか。それは、かつてのような良好な自然と人々の営みの関係を維持するために仲立ちしてくれる人々ではないでしょうか。実際に農業、林業を営んでいる人々、自然愛好家の皆さん、そしてボランティアとして生きものの生息空間を守ってくれている人々など多様です。

これらの人々のお陰で、多くの生きものが守られていますし、農地では、生きものに優しい環境整備や有機農業、無農薬農業、アイガモ農業などが展開されています。里山では枝打ちや間伐作業などが展開されています。かつて生業として成立していた農林業が生物多様性を支えていましたが、いまはボランティアの皆さんなどの協力の下で支えられている部分が多くあるといえます。

ひとはくの果たす役割は重要であると再認識しています。かつての生物多様性の基盤を作り出すためのハード技術の集積、農林作業など生物多様性を維持するためのマネジメント技術の集積、そして環境学習の推進や科学的な生きものの情報の収集や提供など、今以上に拡充していくことが大切であると実感しています。

岩槻先生　コスモス国際賞　おめでとうございます！

丹波地域や人と自然の博物館のことを、常に御配慮いただいている名誉館長の栄えあるコスモス国際賞受賞のお話です（兵庫丹波の地域情報誌　丹波の森 No.54　２０１７年１月）。

２０１６年（平成28年）11月８日、コスモス国際賞の受賞講演会が大阪で開催されました。この賞は、１９９０年（平成２年）に大阪の鶴見緑地で開催された国際花と緑の博覧会を記念して設けられたものです。

2016年（第24回）コスモス国際賞授賞式、11月8日、大阪市中央区のいずみホールホテルニューオータニにて、大阪市

ホームページ上に、授賞の対象として、「花と緑に象徴される地球上のすべての生命体の相互関係およびこれらの生命体と地球との相互依存、相互作用に関し、地球的視点からその変化と多様性の中にある関係性、統合性の本質を解明しようとする研究活動や業績であって、『自然と人間との共生』という理念の形成発展にとくに寄与すると認められるもの」と記されています。

この栄えある賞を、丹波ご出身の岩槻邦男先生が受賞されたのです。１９９５年（平成７年）受賞の吉良龍夫先生以来、日本人として二人目、11年ぶりの快挙です。授賞理由として「岩槻邦男博士は、一貫して、生物が『生きている』とはどういうことかを総体として明らかにする姿勢で研究・教育を行ってきた…」と記されています。

岩槻先生と筆者との関係ですが、１９９７年（平成9年）、岩槻先生62歳の時に、この花博の関係で、ボスコと称する国際的な植物情報センターの構想委員会ワーキングに入れて頂いたのですが、これがはじめての遭遇でした（しかし、残念なことに、当時の記憶はほとんどありません）。その後、１９９９年（平成11年）淡路景観園芸学校の基本構想の際にも同席させて頂きました。その際、先生は、園芸と造園のまとめ役として大変なご苦労をされたことを記憶しています。その後、２００３～２０１３年（平成15～25年）の間、人と自然の博物館で本格的なお付き合いをさせて頂きました。高度な学術研究を基礎に、環境学習、自然学習を、セミナー室で、国内外の現地で、人々とともに、楽しみながら活動されていました。

兵庫県勢高揚賞授賞式にて、兵庫県公館、神戸市

丹波の皆様も、先生から研究内容の一端を、丹波の森大学などで親しく学ばせて頂いたのではないでしょうか。丹波の森公苑、そして兵庫丹波の森協会があったからこそ、岩槻先生、そして霊長類研究の世界的な権威でおられる河合先生たちから、お話を聞くことができる最高の機会があったものと思います。このような丹波地域での伝統をより活性化しながら、継承していくことが大切と肝に銘じている次第です。

社会・学会での真の恩師、鳴海先生

研究への姿勢、委員会の運営の仕方、行政との付き合い、学会での振る舞い…、大阪府立大学時代から今日に至るまで鳴海先生から示唆を頂き続けています（組織・人材について　鳴海先生ヒヤリング２０１７年５月）。

私にとって、久保貞先生に次ぐ、実社会での第二の恩師ともいえるのが鳴海邦碩先生です。鳴海先生とのお付き合いは、筆者が大阪府立大学に奉職し、堺市や大阪府などからの受託研究に参加させていただくようになってからのことです。また、兵庫県立人と自然の博物館への移動のきっかけを頂いたのも、博物館の設立から運営を援助して頂いたのも鳴海先生です。府大を去る年の3月末、堺市の総合計画審議会と記憶していますが、この会が堺市役所でありました。終了後、鳴海先生と二人で、白鷺、堺東界隈の行きつけの複数の飲み屋をはしごして、送別会をしていただいたことがありました。趣味の釣りとアルコールが一緒ということもあって、公私にわたり大変お世話になってきました

各種委員会での議事進行やまとめ方、研究会の運営方法、そして専門家としての生き様、これら全てを現場で、実践的にご教授いただいた方が鳴海先生といっても過言ではありません。

県立人と自然の博物館は、開館してから10年間ほど低迷していました。年間10万人程度の入館者で推移していたのです。この低迷した事態を改革すべく、博物館の新展開なるプロジェクトを立ち上げたのですが、

この新展開にも参加していただきました。「神社の絵馬」「ちょっと気になる場所、はじめてのデートの場所」などを引用しながら、人々が、何故、特定の場所にリピートするのかを語っていただいた記憶があります。他にも、丹波の森公苑の活性化、県立有馬富士公園の運営協議会など、ここという場面では、本当にお世話になりました。偶然、鳴海先生の都市計画学会長、筆者の造園学会長の時期が一緒でしたので、全国的な土木系の5学会長会議などにも、鳴海先生と共に参加させていただいたことも思い出深いことです。

鳴海先生のご挨拶、丹波市青垣での都市計画学会のイベントで、丹波市

　ある日、青森県弘前市教育委員会の方から講演依頼の電話がありました。まちづくりや社会教育関係のテーマで、講演頂きたいとのことでした。弘前市と言えば、鳴海先生の故郷です。早速、鳴海先生に連絡をしたところ、「二人で行こう、しかも、ねぶた祭りの前の日に！」ということになりました。恐る恐る相手方に電話をすると、快く引き受けていただけました。その時の弘前市図書館長さんは田中さんという女性の方でした。館長自ら、青森空港まで迎えていただき、観光案内をしていただきました。ねぶたの前日の講演会は成功裏に終了しました。「大川の水面を活用したカフェを市民参加で実現させたプロジェクト」を鳴海先生が、動画も用いながら講演されたと

記憶していますが、超大盛況でした。翌日、弘前のねぷた祭りまでも堪能させていただきました。

その帰りのタクシー内の出来事も忘れられません。丁度、巨人・阪神戦の中継がラジオから流れていた際のことです。運転手さんに「どちらが勝っているのですか?」との問いに、弘前弁で返事があったのですが、全く理解不可でした。間髪を入れずに、鳴海先生が翻訳して下さったことには感動しました。さすが、大先生さえも、地元に戻れば地元愛に目覚められるのだと。

これには、後日談があります。東日本大震災後、ひとはくは、主に宮城、岩手方面に移動博物館車「ゆめはく」で、子どもたちの環境学習の応援に出かけていました。最初、仙台市の六郷公民館へ出かけたのですが、奥山恵美子仙台市長(当時)と共に弘前市図書館長の田中さんが出現されたのでした。彼女たちは、東日本で活躍する女性グループのメンバーとのことでした。

2017年4月、筆者が69歳の年に、再び兵庫県立淡路景観園芸学校に、学長として赴任することになった際、学校改革・運営などについて、十三の居酒屋で鳴海先生に思いの丈を語っていただきました。何歳になってもいつもお世話になっている先生です。鳴海先生からいただいた指摘内容を以下に示します。

組織・人材について

・若い先生が活躍できていないように見える。
・先生方の本音が見えない。
・県立大とのつながりがない、県立大の先生ももっと入ってもらうように。
・学部教育からのつながりが必要。

・横山さんのように地域で実践活躍している人材も活用？
・たとえば、本を執筆することを想定すると問題が構造化しやすい。

カリキュラム・指導内容について

・専門や授業内容が緑だけに偏っている、園芸だけでは意味がない（この点は設立時から感じていた）。
・たとえば以前学生に「先生の授業は緑がないですね」と感想をもらうこともあり、他の授業でも、緑以外の要素も大切であることを学生に伝えていない可能性がある。
・景観を取り巻く社会課題として重要な「農業」についての緑を扱う授業がないことは問題。
・若い先生も自分の教えたいことを教えて、学生へのわかりやすさや、全体像を考えていないのでは。

人と自然の博物館の恩人、勝野先生

人と自然の博物館の展示やビオトープ計画で大変お世話になりました。兵庫県の自然・環境行政にも、大きく寄与して頂きました（勝野武彦先生退官記念パーティー冊子　２０１4年11月）。

日本造園学会の大会などでお会いする度に、「やあ〜、中瀬さ〜ん…」と、優しい声をかけていただいています。短い言葉の中に、何かしら親しみを感じ続けることができる、心から尊敬している造園界での先生であり先輩です。

学会活動、委員会活動、そして、20年余にわたって関わってきた兵庫県立「人と自然の博物館」の設立から資料収集、展示、運営など、全体にわたって大変お世話になりましたし、今もお世話になっています。また、先生には、講演やシンポジウムで、兵庫県の丹波・篠山、三田、神戸に来ていただいたり、逆に、藤沢のキャンパスに呼んでいただいたりする仲でした。先生とのお付き合いの中で、記憶深い出来事を紹介させていただきます。

ずいぶん前のことです。日本造園学会賞を選考する委員会での議論を鮮明に記憶しています。はじめてビオトープ関係の学会賞を選考したことは、造園学会にとって、これまでの学会賞の価値、評価の基準を変えるような画期的な出来事であったと思います。生きもの、生きもの技術、ビオトープ、そして生物多様性などが、造園の専門分野で、一般化するきっかけの一つになったと思います。あの温厚で、もの静かな勝野先

人と自然の博物館の恩人、勝野先生（前列右端）、三田市

生が、新しい分野を開拓するのだ、普及させるのだとの、毅然とした態度で選考に臨まれていました。今日、生きものや生物多様性に関わる多くの研究者、学生、実務家がおられますが、皆さんが活躍できる基礎を築いていただいたものと思います。

このような御縁があったからでしょうか、兵庫県立人と自然の博物館設立に際しては、展示、資料収集…に、大変なご協力を頂きました。環境に関する博物館、全てがはじめての仕事でしたので、造園、建築、都市計画の方々に協力をお願いしたのですが、勝野先生からビオトープの展示、資料収集などで、大いにお手伝い頂きました。造園の専門家から、突然、自然系博物館の準備室員という立場になって、心細い思いをしていたのですが、勝野先生のお陰で、自然系の専門家の前で、元気に堂々と仕事ができました。これ以降、兵庫県では、全県にわたってビオトープ地図を作成することができ、今では、尼崎21世紀の森づくり、生物多様性戦略などに引き継がれています。

オーストリア、ドイツ、フランスなどの森の専門家が集い、兵庫県丹波地域で初めて開催された森の国際会議は、使用言語に英語がなくて、日本語、ドイツ語、フランス語での開催でした。

勝野先生、武内先生（東京大学）たちに、専門的な知見と共に、洗練されたドイツ語の会話力で大変にお世話になりました。ウィーンの森、黒い森、フォンテーヌブローの森、そして、丹波の森の代表が、専門家と共に地域づくり、森づくりについて議論することができました。これを契機に、丹波地域が大いに盛り上がったことは言うまでもありません。地域づくりの講座の先駆けとして、丹波の森大学を開催していましたが、勝野先生たちに講演に来て頂きました。その記録集が『森　人　地域づくり』（学芸出版社）として、丹波発の地域づくりの専門書として刊行されています。

「21世紀の都市（まち）づくり国際会議」（１９９５年）での成果は、それ以降の兵庫県のまちづくり・地域づくりに大いに貢献しました。それらは、兵庫県のまちづくり条例、阪神・淡路大震災以後の参画と協働の歩みなどです。造園、建築、都市計画、まちづくりに加えて、福祉、高齢社会、地域経済などの、世界の専門家が集り、まち、地域、社会、暮らしなどについて総合的に議論したのですが、この主要メンバーとして、先生に参画いただいたことも懐かしい思い出です。他に、前兵庫県知事貝原俊民氏との環境に関わるテレビ対談など……、私からの無理難題に対して、快く引き受けていただいたものでした。

今では、勝野先生と中瀬の関係が、勝野先生を取り巻く仲間の方々と、私たちの仲間がお付き合いするという関係に拡大しているように思います。

アメリカン・ランドスケープの先輩、都田　徹さん

２０１９年５月25日、筆者が南アフリカ旅行から帰国した次の日、都田徹さんが名誉ある日本造園学会上原敬二賞を受賞されました。学会では最も権威ある賞です。日本・アメリカなど、各地での、ランドスケープ・デザインの実践活動が評価されたものと思います（２０１９年６月）。

都田さんとは、大変気の合う仲間のようにお付き合いさせて頂いてきていますが、大府大の研究室では６年程でしょうか、大先輩に当たります。本題のアメリカン・ランドスケープに関して、よく議論した先輩方に、小林紘一さん、都田徹さん、北山雄脩さんたちがおられます。それぞれ活動の本拠地は、シアトル、東京、シンガポールと異なりますが、全員、久保貞先生とＧ・エクボ先生に教えを乞うた仲間で、現場で積極的にランドスケープの実践活動をされています。学会、コンペ、現地調査など、いろんな場面で連絡し合い、東京、大阪、サンフランシスコ、ボストン、ニューヨーク、シンガポールなどでお会いして、ランドスケープの在り方などについて議論してきました。

カリフォルニア大学バークレー校では、Ｇ・エクボ先生たちに、小林さん、都田さん、そして中瀬の順でお世話になりました。かつて、アメリカ造園家会議（ＡＳＬＡ、American Society of Landscape Architects）の場でも、北山さんと共によくお会いしたものです。ここでは都田さんを中心に話を進めます。

筆者が学生の頃、都田さんとは、大府大での特別講義や研究室の同窓会の席で、たまにお会いする機会が

松葉杖姿の都田先輩、貴重な写真、北杜市

ありました。当時は、大先輩で、鹿島建設でバリバリに活躍されていましたので、近づき難く、遠くから、お顔のやや長い方だなと、尊敬の念で眺めていた印象がありました。本格的なお付き合いが始まったのは、久保教授が退官される前の年からでした。当時、都田氏は、鹿島の開発計画本部の課長をされていましたが、その職を辞して、久保先生と組んで会社を新たに設立したいとのことでした。アメリカにおられた上杉先生と、私とは、久保先生の気性を良く存じていましたので、都田さんの会社設立には強く反対していました。結論として、都田さんは、今の景観設計東京を立ち上げられ、同時期でしょうか、シンガポールにおられた北山さんも、景観設計シンガポールを立ち上げられていました。久保先生、都田さん、北山さんたちの間に、グローバルなランドスケープの展開に関して大いなる発想があったのでしょうか？

設立されることが決まってからは、会社の経営やマーケッティングなどについて、親身になってよく議論したことがありました。これが契機となって、都田氏との距離が徐々に近くなったと思います。

世界造園家会議（ＩＦＬＡ）がボストンで開催された際、都田さんと共にダン・カイリー先生をボストンの北に位置するシャーロットまで訪問しました。アメリカン・ランドスケープの思想を執筆するためです。

カイリー先生宅に泊めて頂き、庭に生育している野草をメインにした、Ｄ・カイリー家スタイルの夕食を頂いたりしたことは懐かしい思い出です。

淡路景観園芸学校の設立時、都田さんは非常勤講師として学校の応援に来て頂けましたし、２０１８年度の嶽山准教授のルイジアナ州立大学への客員研究員としての派遣に際しては、先方のシャーキー教授と繋いでいただくなど、大変なお世話になりました。２０１９年には、シャーキー教授を淡路景観園芸学校に客員教授としてお招きすることができました。やや強引にものごとを進められますが、私にとっては、アメリカン・ランドスケープのみならず、ランドスケープ人生の先輩として非常に尊敬する方の一人です。

おわりに

正確な時期は忘れましたが、おそらく1990年（平成2年）の冬、2月末頃のことと思います。これから博物館に改修する予定のホロンピア館（三田市フラワータウンの深田公園）を、妻の佐知子と娘の奈都代を伴って見に行った際のエピソードです。人の気配が全く感じられない冬枯れの景色の中に、巨大なガラス塊のホロンピア館が、廃墟のように、冷たく暗く佇んでいる様を見て、娘・奈都代が不安げに「お父さん大丈夫！」、ポッンと発した言葉が忘れられません。口にこそ出しませんでしたが、妻・佐知子も同じように心配してくれていたと思います。この時、心の中で、「家族のためにも、この博物館を成功させなくては！」としみじみと思っていました。慣れ親しんできた職場から、42歳になって、ほぼ知り合いのいない新たな未知の職場に移動するのですから、娘、妻のみならず長男、次男たち、家族の心配は当然だったと思います。

当時、兵庫県教育委員会事務局社会教育・文化財課のもとに、（仮）自然系博物館設立準備室がありました。実務的に、計画の専門家として、私を準備室に招聘してくれたのは、服部保氏（植物生態学、現在、兵庫県立大学名誉教授、南但馬自然学校長）、江崎保男氏（動物生態学、現在、兵庫県立大学名誉教授、コウノトリの郷公園長）でした。これ以降、お二人は、何かにつけ私のことを気にかけてくれていました。異分野の専門家との本格的な交流が始まったのでした。その後、田原直樹氏（都市計画学、現在、兵庫県立大学名誉教授）を準備室にお迎えしました。建築、都市計画の専門家として、私の仲間として、公私にわたって大変お世話になりました。これらの背景には、鳴海邦碩先生（都市計画学、当時、大阪大学教授）と安部大就先生（緑地計画工学、当時、大阪府立大学教授）のご尽力があったと聞いています。

なぜ、自然系博物館の設立準備室に、計画、ランドスケープ、建築などの専門家が採用されたのか？ この疑問がありますが、実は貝原俊民知事（当時）のお考えのようでした。自然系に、生態学、さらには計画の専門を加えて、総合的に現場で提案し、実践できる博物館を意図されていたようでした。これは、世界的にも例を見ない、わが国で初めての画期的な試みでした。この流れは、井戸敏三知事に継承され、新しい博物館の活動が、三田の地から、兵庫、日本、世界に向かって積極的に展開されています。

また、恩師の連鎖が、この準備室、博物館で続いていたのです。伊谷純一郎先生（霊長類学）、加藤幹太先生（放射線学）、河合雅雄先生（霊長類学）、岩槻邦男先生（植物分類学）といった、世界超一流の学者館長の下で、新しい博物館活動を展開していました。

博物館に加えて、県立丹波の森公苑、兵庫県立大学、県立淡路景観園芸学校、兵庫県庁、県下の市町、日本造園学会、阪神グリーンネットなどのＮＰＯ団体、県立有馬富士公園、並木道中央公園、甲山森林公園などの運営・計画協議会、これら諸組織の先輩、同僚、後輩の方々にお世話になりました。

本書に掲載した原稿類の記述に関して、ここに述べた方々と共有した素晴らしい経験・体験から、多くのことを学び、影響を受けたことは言うまでもありません。準備室に移動した頃に心配していたことは、杞憂に終わり、以前より幅広い地域密着型、対応型の活動に展開していきました。これらの結果として、単に博物館の分野だけではなく、ランドスケープ分野にも、住民参画型や公園などのマネジメントに関して大いに影響を与えることができたものと自負しています。

本書を完成させる過程で、人と自然の博物館の名誉館長岩槻邦男先生、環境計画研究部の田原直樹さん（元研究部長・研究所長、兵庫県立大学名誉教授）、赤澤宏樹さん、藤本真里さん（企画調整室兼務）、大平和弘さん（企画調整室兼務）、福本優さん、企画調整室の石田弘明さん、池田忠広さん、生野賢司さん、前次長の清澤貞二さん、次長の武田雅和さん（2020年4月から）、前館長補佐の秋山裕之さん、館長補佐の梶本久美子さん（2019年4月から）、私の事務仕事を担当して頂いた楠見彰子さん、総務の塚本健司さんたちには、公私にわたってお世話頂くとともに、暖かく見守って頂きました。編集を担当頂いた西香緒理さんには、兵庫県立淡路景観園芸学校での「ランドスケープからの地域経営」（連続シリーズ四巻、神戸新聞総合出版センター）を契機に、本書の編集から出版まで継続して大変お世話になりました。ここに、皆様のお名前を記して、心からのお礼を申し上げます。

大阪府立大学、カリフォルニア大学、兵庫県教育委員会、県立人と自然の博物館、県立大学自然・環境科学研究所、県立丹波の森公苑、県立淡路景観園芸学校、県立大学専門職大学院緑環境景観マネジメント研究科…いろんな職場を気ままに楽しんだ私を、何もいわずに見守り、子どもたちを育て上げ、家庭を守ってきてくれた妻・佐知子に心からの感謝の意を表します。

2020年7月

中瀬　勲

中瀬　勲（なかせ・いさお）

大阪府高槻市に生まれる。大阪府立大学大学院農学研究科修士課程修了。同大学助手、講師、助教授、カリフォルニア大学客員研究員などを経て、1990年、人と自然の博物館の設立準備室に奉職。以後、同館研究部長を経て、2000～2013年副館長。2005年兵庫県立丹波の森公苑長。2009年より兵庫県立淡路景観園芸学校校長、学長。2013年4月より人と自然の博物館館長。農学博士（九州大学）。

（社）日本造園学会元会長、人間・植物関係学会前副会長等の学会役員を歴任。財務省独立行政法人評価委員会臨時委員、兵庫県環境審議会委員、兵庫県都市計画地方審議会委員、神戸市公園緑地審議会委員、（財）兵庫県高齢者生きがい創造協会理事、（財）丹波の森協会理事などと共に、全国トンボ市民サミット実行委員長、阪神グリーンネット事務局長など震災復興のまちづくりやNPOなどにかかわる。

（社）日本造園学会賞（1980)、第5回さわやか街づくり賞まちづくり活動部門（1996)、（財）都市緑化基金第12回緑のデザイン賞（2002)、兵庫県科学賞（2006)、兵庫県功労者表彰（2006)、兵庫県教育功労者表彰（知事表彰）（2011)、日本公園緑地協会第34回北村賞（2012)、平成24年度日本博物館協会顕彰（2012)、島本町功労者表彰（2012)、兵庫県立大学功績者表彰（2013)、地方自治法施行70周年記念総務大臣表彰（2017)、日本造園学会上原敬二賞（2018)、三田市制60周年表彰特別賞（2018)、神戸市制130周年功労者表彰（2019)、みどりの学術賞（2020）受賞。


【著書】

『アメリカン・ランドスケープの思想』（鹿島出版会)、『もり　人　まちづくり』（学芸出版社)、『子どものための遊び環境』（鹿島出版会)、『緑空間のユニバーサル・デザイン』（学芸出版社)、『安全と再生の都市づくり』（学芸出版社)、『みどりのコミュニティ・デザイン』（学芸出版社)、『パークマネジメント』（学芸出版社)、『みんなで楽しむ博物館』（大月書店）など。

わたしの風景論《ふうけいろん》

2020年9月26日　初版第1刷発行

著　者　中瀬《なかせ》　勲《いさお》
発行者　吉村一男
発行所　神戸新聞総合出版センター
〒650-0044 神戸市中央区東川崎町 1-5-7
TEL078-362-7140　FAX078-361-7552
https://kobe-yomitai.jp/

印　刷／株式会社 神戸新聞総合印刷

ISBN978-4-343-01091-9　C0095